Distribution

Pour le Canada:

Les Éditions Flammarion/Socadis
375, avenue Laurier Ouest
Montréal (Québec)
H2V 2K3
Tél.: (514) 277-8807

Tiger Woods:
La griffe d'un champion

Données de catalogage avant publication (Canada)

Woods, Earl, 1932-

   Tiger Woods: La griffe d'un champion

   Traduction de: Training a Tiger.

   ISBN 2-89225-320-9

   1. Woods, Tiger. 2. Golf – Entraînement. 3. Woods, Earl, 1932 –. 4. Golfeurs – États-Unis – Biographies. I. Titre.

GV964.W66W6614 1997   796.352'092   C97-940691-9

Cet ouvrage a été publié en langue anglaise sous le titre original:
TRAINING A TIGER, A FATHER'S GUIDE TO RAISING A WINNER IN
BOTH GOLF AND LIFE
Published by arrangement with Harper Collins Publishers Inc.
10 East 53rd Street, New York, New York 10022
Copyright ©, 1997 by Earl Woods
All rights reserved

©, Les éditions Un monde différent ltée, 1997
Pour l'édition en langue française

Tous droits de reproduction, de traduction et d'adaptation réservés pour
tous les pays: Les éditions Un monde différent ltée

Dépôts légaux: 2ᵉ trimestre 1997
Bibliothèque nationale du Québec
Bibliothèque nationale du Canada
Bibliothèque nationale de France

Conception graphique de la couverture:
SERGE HUDON

Photo de la couverture:
©, 1997 par GEORGE LANGE

Dessins dans le livre:
ELINA D. NUDELMAN

Photocomposition et mise en pages:
COMPOSITION MONIKA, QUÉBEC

ISBN 2-89225-320-9

(Édition originale: ISBN 0-06-270178-9, Harper Collins Publishers Inc.,
New York)

Imprimé au Canada

Earl Woods et Pete McDaniel

Tiger Woods:
La griffe d'un champion

Découvrez l'ascension d'un gagnant

Conseils du père d'un champion
sur l'enseignement du golf et de la vie

Les éditions Un monde différent ltée
3925, Grande-Allée
Saint-Hubert (Québec), Canada
J4T 2V8

Note de l'Éditeur : Nous avons intégré tout au cours du texte une note de bas de page pour chaque mot du vocabulaire du golf. Vous y retrouverez donc l'équivalent anglais. Il va sans dire que nous donnons une note de bas de page la première fois seulement que le mot apparaît au texte. Pour vous rafraîchir la mémoire, et pour que ce soit plus facile pour vous de les repérer, vous retrouverez à la fin du livre un lexique très élémentaire des termes utilisés dans *TIGER WOODS : LA GRIFFE D'UN CHAMPION*.

Note des traducteurs : Sur un parcours de golf, les distances sont calculées en verges. Toutefois, dans les situations autres que celles se déroulant sur un parcours, nous avons rendu les distances ou les mesures selon le système métrique.

Je dédie ce témoignage d'amour à cet être qui, plus que tout autre, m'inculqua les valeurs, le sens moral et le concept de soi qui me façonnèrent au fil des ans: ma mère, Maude Ellen Carter Woods. C'était une dame tout à fait remarquable! Grâce à une éducation qui fit d'elle une femme avant-gardiste, compte tenu de son époque et de la couleur de sa peau, elle supporta les conséquences déshumanisantes de la discrimination sans jamais céder à l'amertume et à l'agressivité que cela engendrait chez d'autres gens de couleur. L'éducation fut toujours une priorité pour elle, et quatre de ces six enfants ont obtenu un diplôme universitaire.

Sa philosophie de la vie était simple:

❖ *«Ne jugez jamais autrui: il existe des professionnels parfaitement qualifiés pour le faire.»*

❖ *«Instruisez-vous: l'éducation est une chose que personne ne pourra JAMAIS vous enlever.»*

❖ *«Vous devez faire mieux que les autres pour escompter avoir les mêmes chances de réussir.»*

❖ *«Veillez sur votre prochain et partagez.»*

❖ *«Et finalement, soyez de bonnes personnes en tout temps.»*

Table des matières

Partie 1
Avant de frapper la première balle

Partie 2
L'apprentissage de l'élan de golf

Partie 3
Les éléments essentiels pour jouer au golf

Partie 4
Couper le cordon

Remerciements

J'aimerais profiter de l'occasion pour remercier Paul Fregia, de Chicago, en Illinois, qui est à l'origine de ce projet. Sans toi, mon ami, il n'aurait jamais pu voir le jour. Merci de m'avoir aidé avec tant de subtilité à «corriger mon attitude» dans les jours difficiles.

Je remercie également tous ceux qui ont contribué à leur façon au développement sportif et à l'épanouissement personnel de Tiger. Bien entendu, vous êtes trop nombreux pour être nommés ici, mais vous vous reconnaissez sûrement. Merci du plus profond de mon cœur. Je vous serai toujours reconnaissant de votre aide et jamais, jamais je ne l'oublierai.

Préface de Tiger Woods

O n a écrit tant de choses à propos de mon apprentissage du golf que j'ai moi-même du mal à distinguer parfois la réalité de la fiction. Chose certaine cependant: sans l'amour, l'appui et les conseils de mes parents, je n'aurais pu profiter des bienfaits que le golf et la vie m'ont offerts. Un jour, au cours d'une entrevue, mon père résuma avec justesse la relation que j'entretiens avec mes parents: «Au plus profond de son être, mon fils a toujours eu confiance en lui-même, car il savait qu'il pouvait compter sur la force et la solidité de ses parents, peu importent les paramètres et les balises que nous établissions.»

Cette phrase est extrêmement révélatrice. Mes parents m'ont appuyé dès le début. Leurs recommandations m'épaulent encore lors de la majorité de mes décisions à prendre. Ils sont mes pierres d'assises.

On me dit que mon amour du golf a pris naissance avant même que je commence à marcher ou à parler. Bien entendu, je ne garde aucun souvenir de moi assis dans une chaise haute à regarder mon père frapper des balles de golf. Je me rappelle, cependant, que j'ai toujours été fasciné par ce sport à cause du plaisir que mon père semblait en retirer. Quand je jette un coup d'œil rétrospectif sur ces événements, je pense que le golf me donnait la chance d'imiter la personne que j'admirais le plus: mon père.

Comme j'ai commencé très jeune à jouer au golf, mon père a dû employer des techniques d'enseignement inédites et faire preuve d'imagination. Grâce à ces méthodes, il m'a inculqué les principes de base du golf d'une façon simple, amusante, stimulante et axée sur la compétition. Mon père raconte que j'étais très attentif pour mon âge; ce que je sais, c'est que je désirais ardemment en apprendre le plus possible sur ce sport qui le captivait tant.

Je me souviens que, malgré mon jeune âge, nous avions mis au point un rituel quotidien: je téléphonais à papa au travail pour lui demander si je pouvais m'entraîner avec lui. Il restait silencieux pendant une seconde ou deux – pour maintenir le suspense – mais il acceptait toujours. Ma mère m'emmenait ensuite sur le parcours de golf[1] pour m'exercer avec papa. À sa façon, il m'enseignait le sens de l'initiative. Voyez-vous, jamais mon père ne m'a imposé le golf; c'est à moi que revenait la décision de m'y entraîner ou d'y jouer. S'il a grandement contribué à faire naître en moi la volonté de réussir, son rôle, comme celui de maman, consistait à me soutenir et à me conseiller, mais sans s'ingérer d'une façon ou d'une autre.

Après m'être entraîné en sa compagnie, nous nous dirigions vers l'aire de pratique réservée aux coups d'approche[2] afin de frapper des balles. Pour moi, cette aire de pratique ressemblait à un terrain d'exercice aux coups de départ[3] car, vous vous en doutez bien, je ne frappais pas la balle très loin. On peut dire que, depuis, ma perception des choses a considérablement évolué.

Après avoir frappé des balles, nous allions sur le vert[4] où, tels de vieux adversaires, nous jouions l'un contre l'autre pendant des heures. Le plaisir était toujours au rendez-vous lors de ces compétitions de roulés[5]. Comme j'étais incapable de frapper la balle aussi fort que mon père, je savais que je

---

1. *Golf course*, on dit aussi terrain de golf.
2. *Pitching area*: certains l'appellent l'aire d'approche.
3. *Driving range*: en France, on utilise *driving range* et au Québec on emploie davantage champ de pratique et parfois aussi allée d'entraînement.
4. *Green* et parfois *putting green*.
5. *Putting*: l'Office de la langue française suggère le néologisme «roulé».

pouvais me reprendre avec mes roulés. Même si papa prétend m'avoir laissé gagner à plusieurs reprises, je suis convaincu d'avoir bel et bien remporté quelques-unes de ces compétitions. Une fois l'entraînement terminé, nous faisions un arrêt au bar du club de golf[1] pour nous désaltérer. C'était une de nos habitudes préférées. Nous commandions toujours la même chose: une boisson gazeuse aux cerises pour moi, et une boisson un peu plus corsée pour papa.

Je garde un excellent souvenir de ces entraînements pour la simple raison que papa en faisait un moment amusant. On apprend incroyablement bien quand on fait quelque chose qui nous plaît beaucoup. Si le golf a toujours été synonyme de joie et de plaisir, l'impatience prenait parfois le dessus. Dans ces instants, papa me rappelait qu'il était important de me préparer aux défis de l'existence si je voulais y faire face avec confiance. Il se servait du golf pour m'apprendre la patience, l'intégrité, l'honnêteté et l'humilité.

Nous avions parfois des désaccords, mais il m'encourageait toujours à exprimer mon opinion. Toutefois, lorsqu'il me disait: «Mon fils, on récolte ce que l'on sème», je comprenais ce qu'il voulait me faire comprendre: personne ne te fera de cadeaux dans la vie à moins que tu travailles dur, et même à ce moment-là, ne t'attends pas à ce qu'on te fasse la charité. Il m'a ainsi inspiré ma conception du travail, et je lui en serai éternellement reconnaissant.

J'espère que vous réussirez à donner à votre enfant ce que mon père m'a légué à travers le golf. Utilisez ce sport pour leur enseigner la vie. Papa et maman, je vous remercie; ce que vous m'avez inculqué me servira toute ma vie.

---

1. *Nineteenth hole*: appelé plus communément le dix-neuvième trou.

Introduction

Mon père était un passionné de baseball. S'il connaissait les noms et les statistiques de la plupart des joueurs des ligues majeures de baseball, il chérissait tout particulièrement ses héros qui évoluaient dans les *Negro Leagues*, réservées aux joueurs de race noire. Cette passion, mon père la transmit au cadet de ses six enfants, c'est-à-dire moi. Lorsque j'appris que la tournée des Homestead Grays ferait un arrêt à Manhattan, au Kansas, rien au monde n'aurait pu m'empêcher d'aller les voir.

Dès ma plus tendre enfance, je me familiarisai avec le baseball, sport national des États-Unis. C'était mon père qui fixait les énormes chiffres noirs au tableau d'affichage du stade de baseball municipal, tandis que je faisais office de préposé aux bâtons lorsque les équipes de Noirs arrivaient en ville. À treize ans, j'avais déjà raflé à plusieurs reprises tous les honneurs des ligues mineures dans mon État. Lors de ma première année au sein de l'*American Legion ball*, la position de receveur me fut attribuée dans la première équipe d'étoiles: je fus ainsi le premier Noir du Kansas à mériter un tel honneur.

Doté d'un bras canon, j'étais impatient de le faire valoir. Cette chance se présenta un jour d'été poussiéreux à l'occasion d'un match qui opposait les Grays dans leurs uniformes amples aux barbus de l'équipe House of David.

Le receveur Roy Campanella était mon idole. Même accroupi derrière le marbre, il était capable de retirer le plus rapide des coureurs. Vous pouvez aisément imaginer sa réaction lorsque le jeune effronté de la campagne que j'étais s'approcha de lui et se vanta de posséder un bras tout aussi puissant que le sien. Il ne se moqua pas de moi, mais me regarda d'un air plutôt sceptique. Malgré tout, il se montra aimable, me tendit son gant et me permit de recevoir les lancers d'échauffement du grand Satchel Paige.

Je demandai à Campy de dire à Satch de se pencher après son dernier lancer afin de ne pas se faire transpercer la poitrine par la balle. Il éclata de rire, mais il accepta de transmettre mon message à Satch. Lorsque j'attrapai le dernier lancer d'échauffement de Satch, je catapultai une balle de feu dans sa direction. Le joueur qui se tenait au deuxième but l'attrapa à hauteur des chevilles. Je retournai alors vers Campy et lui remit son gant. «Mon gars, tu as vraiment un bras du calibre des ligues majeures», lança-t-il.

Même si mon père ne put être témoin de cette scène, puisqu'il était décédé depuis deux ans, je sais qu'il souriait là-haut dans le ciel. Toutefois, son sourire s'effaça probablement lorsque, quelques années plus tard, il me vit m'éloigner de la carrière qu'il avait tant espérée pour son fils, celle de joueur de baseball professionnel, et choisir une autre voie, celle du monde de l'éducation.

Comme vous pouvez le constater, mon premier amour fut le baseball, et non le golf. Ma passion pour ce sport qui a occupé une si grande place dans ma vie me vint seulement des années plus tard. C'est ma mère, Maude, qui me montra la voie à suivre en instillant en moi le désir de me mesurer aux meilleurs. Malgré son diplôme d'enseignante, elle s'avéra incapable de dénicher un emploi dans le système scolaire et dut se résigner à travailler comme domestique pour des gens beaucoup moins instruits qu'elle. Elle considérait néanmoins l'instruction comme le meilleur moyen de réussir dans la vie et elle fit en sorte que tous ses enfants s'instruisent. Elle avait l'habitude de dire: «Tu dois faire mieux que les autres si tu veux avoir des chances égales de réussir.»

Puis, ma mère mourut alors que je n'avais que 13 ans. C'est ma sœur aînée, Hattie, qui se chargea de m'élever. Je n'ai cependant jamais oublié les leçons de vie de ma mère, je les avais dans mes bagages à mon arrivée à l'université de l'État du Kansas, détenteur d'une bourse d'études qu'on m'accorda grâce à mes talents de joueur de baseball.

À la fin de ma première année d'université, je dus prendre une décision importante: les Monarchs de Kansas City de la *Negro League* m'offraient un contrat de joueur. Ce soir-là, pendant que je ruminais cette offre, j'entendis des voix. D'abord celle de ma mère qui me disait: «Mon fils, instruis-toi, l'éducation est une chose que personne ne pourra jamais t'enlever». Puis celle de mon père qui répliquait: «Mon gars, je veux que tu joues pour les Monarchs.» Et ma mère insistant encore une fois: «Mon fils, termine tes études, tu m'entends?» Eh bien, en définitive, ma mère eut gain de cause, et je ne regrettai jamais ma décision. Je continuai à jouer au baseball pour l'équipe de l'État du Kansas, où j'étais le seul joueur de race noire de toute la *Big Eight Conference*.

C'est au cours de ces années que j'amorçai ma seconde carrière, celle d'enseignant. En guise de reconnaissance à l'égard des ligues mineures qui m'avaient donné la chance de devenir un receveur tout étoile, je formais des équipes de joueurs étoiles et je les menais jusqu'au tournoi de l'État du Kansas. Mon travail auprès des jeunes fut une expérience très intéressante et gratifiante qui m'enseigna la patience. Je n'oublierai jamais cette période qui me permit d'aider des enfants à se développer, à réussir et à surmonter l'échec. L'enseignement était presque une seconde nature pour moi, peut-être grâce à toutes ces années que j'avais passées sous l'œil vigilant de mes sœurs et de ma mère. Je décrochai mon diplôme et, après un été à jouer au baseball pour une équipe semi-professionnelle, j'amorçai ma nouvelle carrière.

Plus tard, je joignis les rangs de l'armée où j'enseignai toutes sortes de matières à des jeunes hommes. Tout au long de mes années d'enseignement au City College de New York, j'entretins des rapports étroits et personnels avec les jeunes recrues. Ils étaient tellement enthousiasmés par mon cours que plusieurs d'entre eux me demandèrent la permission d'inviter leurs petites amies à se joindre à nous pour apprendre l'histoire militaire, la tactique et les jeux de guerre. J'acquiesçai à leur demande. À mon avis, les jeunes femmes qui participèrent à nos discussions en tirèrent profit. La fin de l'année venue, mes recrues m'offrirent une plaque d'argent qui portait l'inscription «À notre professeur, avec affection».

En résumé, on peut dire que j'adore enseigner, donner le meilleur de moi-même, ainsi que partager mes connaissances et mes expériences avec autrui, car je pense pouvoir transmettre aux autres les leçons que j'ai tirées de la vie. Sans compter qu'il me fait chaud au cœur de voir le visage d'un élève s'illuminer car il comprend ce que j'essaie de communiquer. Cette sensation, je l'ai très souvent ressentie avec mon propre fils, et je vous souhaite de l'éprouver lorsque vous enseignerez le golf à votre enfant.

Bien entendu, l'armée contribua à parfaire mon éducation. J'y appris notamment la discipline et j'eus l'occasion d'approfondir la notion de travail en équipe ou de jeu d'ensemble que mon père avait commencé à m'enseigner. J'eus également la chance de faire de nombreux voyages dans le monde, dont deux séjours avec les bérets verts (soldats d'unité spéciale) au Viêt-nam, où je côtoyai la mort à plus d'une reprise. Ce fut également dans ce pays que je rencontrai un lieutenant-colonel vietnamien du nom de Nguyen T. Phong, aux côtés duquel je combattis (son nom signifiait Tigre ou Tiger en anglais). J'étais alors un officier d'information et ce fut lors d'une mission que je fis la connaissance de celle qui allait devenir la mère de mon fils, Kultida. Comme j'avais déjà trois enfants d'un premier mariage, je n'étais pas vraiment prêt à m'engager de nouveau envers une femme.

Toutefois, mon cœur me donna une deuxième chance non seulement de connaître encore le bonheur, mais aussi, plus tard, d'exercer mon rôle de père. Avec du recul, je crois que toutes ces expériences portent la marque de Dieu et me destinaient à accomplir la mission d'élever le garçon qui allait naître. Même le fait d'avoir déjà trois enfants représentait sa façon à Lui de dire: «Donnons-lui une nouvelle chance. Confions-lui d'autres enfants et voyons comment il s'en tire. Il devra cependant donner sa pleine mesure. Je veux qu'il comprenne la difficulté de la tâche, car J'entretiens de grands espoirs pour Tiger.»

Et voilà qu'il était là et c'est ce que je fis. Toutes les années que je passai dans l'enseignement, à partager mes connaissances et à prendre soin des autres, me préparaient à enseigner à Tiger. J'étais conscient de ma chance, mais honnêtement, lorsque Tiger était encore enfant, je me disais souvent: «Mon Dieu, pourquoi m'avoir choisi? Qu'est-ce que j'ai fait pour mériter un enfant si magnifique et si remarquable?» Je ne reçus jamais de réponse, peut-être parce que je m'acquittais plutôt bien de ma tâche. Si cela n'avait pas été le cas, Dieu me l'aurait probablement laissé savoir et je ne serais pas là aujourd'hui à écrire ce livre à votre intention.

J'ai déjà raconté à plusieurs reprises l'histoire des circonstances qui m'amenèrent à m'intéresser au golf. Et je jure qu'elle est véridique. Un jour, lorsque j'étais un lieutenant-colonel de 42 ans en garnison à Fort Hamilton, de Brooklyn, à New York, un de mes confrères officiers m'invita à jouer au golf. Originaire du Sud des États-Unis, cet officier avait dans son enfance servi de caddie[1] à son père, un golfeur professionnel – ce qui était rare chez les Noirs à cette époque.

En fait, mon soi-disant ami eut l'effronterie de me mettre au défi de jouer au golf. Il connaissait ma réputation de fier compétiteur et en profita. Je n'avais jamais tenu de bâton[2] de golf entre mes mains, mais, piqué au vif, je relevai le défi. Comme je ne possédais pas de bâton, mon ami me prêta un des siens dès que nous nous fûmes éloignés du starter[3]. Il me dit alors de frapper la balle. Je m'élançai de toutes mes forces. Le coup fit à peine bouger la balle, mais le bruit se répercuta avec une telle force que des vibrations furent cer-

---

1. *Caddie: on emploie aussi le terme cadet en France.*
2. *Club.*
3. *Starter: personne chargée de donner le signal de départ aux golfeurs.*

tes perçues jusqu'en Chine. Quant aux éclats de rires sacca-
dés de mon ami, ils retentirent sans doute jusqu'au bout des
allées[1]. À mesure que la partie[2] avançait, mon jeu s'amélio-
rait. J'obtins un score de 92 pour les 17 trous suivants et je
compris que jouer au golf signifiait beaucoup plus que frapper une balle. Mon ami prit un malin plaisir à raconter à tout
le monde l'ampleur de ma défaite. J'étais frustré mais toutefois intrigué par ce nouveau sport. Je résolus donc de
m'améliorer plus rapidement que quiconque afin d'arriver à
battre mon ami. C'était une question de fierté.

Cependant, un problème se posait: mon ami prenait sa
retraite six semaines plus tard. Cela ne me laissait guère de
temps, mais je travaillai assidûment mon jeu, la plupart du
temps en secret. Trois jours avant que mon ami prenne sa
retraite, je lui lançai un défi. Nous nous affrontâmes à Fort
Dix, au New Jersey, et j'emmenai avec moi un autre ami qui
se chargerait d'inscrire le pointage. Non seulement rempor-
tai-je la partie et laissai-je mon adversaire pantois, mais je me
découvris aussi la piqûre du golf pendant ma préparation
pour cette confrontation.

Je décidai alors que si j'avais un jour un autre enfant, je
l'initierais au golf beaucoup plus tôt que je ne l'avais été.
Puis Tiger entra dans ma vie. À sa naissance, j'avais tout
juste un zéro d'handicap[3], comme si le plan divin était déjà
en marche. J'avais reçu un entraînement approprié et j'étais
prêt à plonger dans l'action. J'empruntais une voie tout à fait
inexplorée en initiant au golf un enfant si jeune; aussi dus-je
utiliser pour Tiger des techniques d'enseignement qu'il pouvait facilement comprendre.

C'est donc le Tout-Puissant qui me confia cet enfant
précoce. Il avait orchestré tout ce scénario car Il semblait

---

1. *Fairway:* se dit aussi de la partie du parcours gazonnée, bien entretenue, et sans
   accident de terrain (où doivent tomber toutes les balles bien jouées), en fait le
   parcours normal.
2. *Round:* tournée de golf.
3. *Scratch player.*

nourrir le projet de faire de Tiger une personnalité marquante pour le monde entier. Je ne connais pas tous les détails du plan de Dieu sur lui, mais je crois sincèrement que Tiger est d'essence spirituelle et humanitaire, et qu'il ira au-delà de toute conception d'une partie de golf. Il la transcendera.

En règle générale, les parents passent à travers toute la gamme des hauts et des bas, des péripéties de la vie, des essais et des tribulations quand ils élèvent leurs enfants. La clé, c'est de former des liens étroits avec vos enfants et d'être aptes à leur apprendre à se dépasser et à fonctionner efficacement. Le golf constitue un excellent moyen d'atteindre ces objectifs. Si, en tant que parents, vous réussissez à faire aimer et respecter le golf à vos enfants, ils apprendront assurément les leçons de vie qu'ils peuvent en tirer. Ce livre est ma façon de rendre hommage à un sport qui m'a beaucoup apporté. À mon avis, si vous tirez profit de ce que j'ai appris et que vous en faites bénéficier votre enfant, vous ne ferez peut-être pas de lui un champion de golf, mais vous l'aiderez à devenir un être meilleur, capable d'avancer dans la vie avec assurance et de relever les défis. C'est à peu près la meilleure chose que nous, parents, puissions faire. Le reste, ce sont nos enfants qui s'en chargent.

Earl Woods
Janvier 1997

Partie 1

Avant de frapper
la première balle

1 Établir une relation avec son enfant

Confiance, respect, communication, liens, vérité, terminologie

---

Pour nourrir la curiosité naturelle de votre enfant, vous devez nouer avec lui des liens fondés sur l'amour et le respect. Créer un bon milieu ambiant engendre la confiance et favorise la communication, fondements de l'apprentissage. Tout commence avec le désir des parents d'améliorer la qualité de vie de leur enfant et d'augmenter ses chances de réussir dans l'avenir. Les parents doivent se fixer des objectifs: «Je désire que mon enfant ait une vie meilleure que la mienne. Je veux lui donner plus de chances et plus d'appui que moi à son âge. Je veux qu'il soit mieux préparé que je ne l'ai été à affronter la vie. Je veux qu'il réussisse mieux que moi. Je veux qu'il soit récompensé pour ses efforts.» Les liens qui existent entre un parent et son enfant doivent absolument être basés sur le respect mutuel. Pour ce faire, le parent doit comprendre que l'amour se donne alors que le respect se mérite.

Pour mériter le respect d'un enfant, il faut commencer le plus tôt possible. Votre enfant doit sentir que vous vous souciez de son bien-être, qu'il peut compter sur vous en tout temps. Donnez-lui des conseils uniquement lorsqu'il en a besoin. Riez et pleurez avec lui. Et, plus important encore, faites preuve de cohérence. Des paroles contradictoires n'ap-

portent que la confusion chez un enfant. Lorsque vous cherchez à mériter le respect de votre enfant, lui aussi doit faire
de même. Cela fait partie du processus d'apprentissage.
Lorsque les liens sont solidement noués, vous découvrez un
enfant étonnamment réceptif. Les choses se dérouleront ainsi, car la vie est ainsi faite.

Montrez-vous rassurant. On ne dit jamais assez «je
t'aime» à son enfant. Dès qu'un enfant entre dans votre vie,
vous devez vous engager à vous donner corps et âme, à
assumer vos responsabilités et à lui accorder la priorité.

Lorsque Tiger arriva à la maison cinq jours après sa
naissance, je fis deux choses. Je voulais que la première mu-

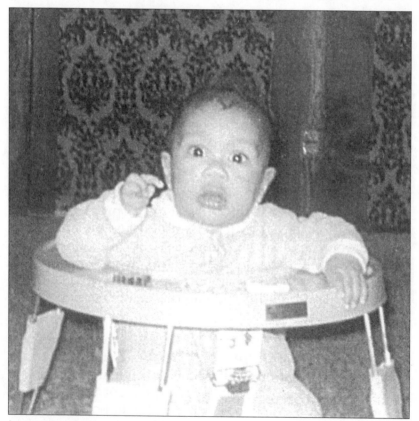

À ses tout débuts.

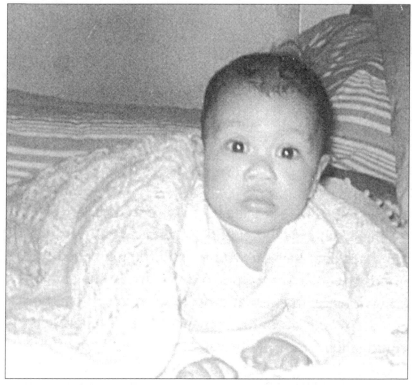

Un Tiger déjà très curieux et prêt à recevoir son premier bâton de golf.

sique qu'il entende soit du jazz. Je fis donc jouer du jazz à plein volume, et il esquissa un sourire. Je laissai ainsi ma première empreinte personnelle dans son esprit, du moins en matière de goûts musicaux. Bien sûr, en vieillissant, il s'enticha de la musique rap, ce tintamarre qui faillit rendre ses parents cinglés. Il est depuis revenu à ses racines musicales et nous avons passé beaucoup de soirées à écouter ensemble du jazz.

De plus, le jour de son arrivée à la maison, alors qu'il était couché dans son berceau, je lui parlai en caressant sa joue gauche avec mon index. «C'est ton papa qui t'aime. Papa est là. Tu es mon petit homme. Papa est tellement fier de toi. Je veux faire ton bonheur.» Bref, des mots tendres comme ceux qu'utilisent la plupart des parents. Souvent,

Une belle journée au parc avec maman et Toba.

lorsqu'il dormait, je m'approchais du berceau pour caresser sa joue; ça le faisait sourire. Il savait que c'était moi, et il le saura pour le restant de ses jours.

Lorsque Tiger fut un peu plus vieux, j'adoptai une politique de type «porte ouverte»; dès qu'il voulait me parler de quelque chose, je laissais tout de côté: télévision, musique, travail, peu importe. Nous passions alors dans une autre pièce et nous discutions – et c'était lui, pas moi, qui décidait du sujet. Quel que soit le sujet, nous vidions la question jusqu'à ce qu'il en aborde une autre. Quand j'ignorais la réponse à la question de mon petit inquisiteur, j'avouais honnêtement que je ne savais pas. C'est ainsi que je gagnai à ses yeux crédibilité et respect. Je lui promettais ensuite d'essayer de trouver une réponse à sa question et, la plupart du temps, je réussissais.

Les parents doivent consacrer du temps à leur enfant. Ce n'est pas toujours facile en cette époque où, souvent, les deux parents travaillent. Cependant, je reste convaincu qu'on reste maître de son temps; c'est une question de volonté et de priorité. Si votre enfant passe avant tout, vous trouverez du temps. Et cette période sera du temps fructueux, car un enfant est capable de distinguer une réponse mûrement réfléchie d'une remarque lancée distraitement. Vous devez sans cesse faire sentir à votre enfant que vous vous souciez de lui. Offrez-lui également vos conseils mais aussi votre leadership, et ce, par petites doses au début, et toujours avec justesse et sensibilité.

L'apprentissage du golf est un long cheminement qui fait appel à la coopération, laquelle doit être assumée à parts égales par le père et la mère. Les deux parents doivent partager les mêmes désirs et aspirations à l'égard de leur enfant. C'est un travail d'équipe. Les objectifs du père et de la mère ne doivent pas être contradictoires. Dès le départ, nous nous sommes entendus, ma femme et moi, sur notre désir commun de donner priorité à Tiger dans notre vie de couple. Pour ce faire, nous avons décidé que Tida resterait à la maison pour s'occuper de Tiger. Pour ma part, comme je venais de quitter l'armée, j'ai dû trouver du travail pour subvenir aux besoins de la famille. Nous avons également convenu que nous ferions preuve de transparence et de constance à l'égard de Tiger, établissant par le fait même les balises de son éducation.

Dès les premiers stades du développement d'un enfant, l'amour inconditionnel est capital. En l'acceptant totalement et en lui disant constamment: «Je t'aime et tu pourras toujours compter sur moi», Tiger s'est épanoui telle une magnifique fleur au printemps.

Certains parents sont aux prises avec une attitude rebelle de la part de leur enfant. Cette attitude est un moyen que l'enfant utilise pour affirmer son indépendance. Si vous respectez et reconnaissez ce fait, vous pouvez transformer ces débordements en expériences positives sans bafouer la fierté de votre enfant. Soyez ferme et affirmez-vous en tant que parents. En lui faisant connaître vos «limites», vous le sécuriserez en dépit des restrictions que vous lui imposez. L'enfant doté d'une personnalité forte essaie toujours de tâter le terrain et de «tester» vos limites par des comportements négatifs. Avec douceur et fermeté, rappelez-lui que ces comportements provoqueront une réaction négative de votre part, mais que votre amour est toujours là pour le protéger.

L'une des grandes contributions de Tida dans l'éducation de Tiger, c'est sa politique voulant que l'école passe avant le golf ou toute autre activité. Elle a toujours exigé que Tiger fasse ses devoirs avant d'aller jouer avec ses amis, de s'entraîner avec moi ou de participer à un tournoi. Comme ma mère, elle était convaincue que l'instruction est la clé de la réussite. Elle rappelait sans cesse à Tiger que le golf n'était pas une garantie de succès, tandis que son instruction l'aiderait à réussir en affaires et, surtout, dans la vie. «Tu dois toujours protéger tes arrières», lui disait-elle. «On ne sait jamais. Tu peux te blesser, tomber malade. Toutefois, avec une bonne éducation, tu peux toujours être utile à la société.»

Tiger est l'enfant unique de Tida. Souvent, elle me demandait: «Qu'est-ce que je dois faire? Comment me comporter avec Tiger?». Je lui répondais: «Suis ton instinct et reste toi-même. Même si tu commettais quelque erreurs, je sais que tu es de bonne foi. Sans compter que je serai toujours là pour t'épauler.» À mon avis, elle s'est rarement trompée et je suis persuadé que Tiger vous dirait la même chose.

Si sa manière d'élever Tiger n'était pas toujours très orthodoxe ou peu conforme aux règles habituelles, elle n'en restait pas moins efficace. Lorsque Tiger avait deux ou trois ans, elle écrivait les tables d'addition et de multiplication sur des petites fiches pour qu'il les répète encore et encore, jour après jour. Il a commencé avec les additions; plus tard, il a appris les multiplications. En guise de récompense, il passait un après-midi sur le terrain d'exercice à pratiquer ses coups d'approche en ma compagnie. Ainsi, Tiger comprenait que l'instruction avait priorité sur le golf.

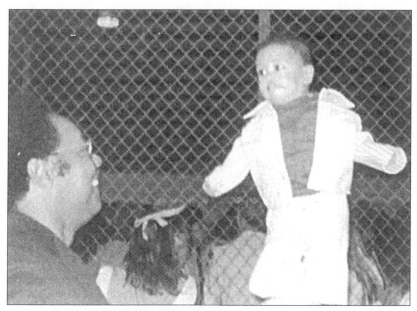

À cinq mois, Tiger démontre déjà un sens de l'équilibre digne d'un athlète.

Tiger a reçu un bâton de golf comme premier cadeau de Noël, cinq jours avant son premier anniversaire de naissance.

Vous vous demandez peut-être si un tel encadrement est absolument nécessaire. Si votre objectif est d'entretenir avec votre enfant une relation solide et durable basée sur la confiance et la communication, ma réponse est oui. Le rôle de parent est en soi un long apprentissage qui ne concerne pas seulement votre enfant, mais vous-même. Au cours de ma vie, j'ai découvert qu'en donnant aux autres et en partageant avec eux, j'en retirais pratiquement toujours quelque chose. J'ai pu ainsi améliorer ma vie et apprendre à mieux me connaître.

Évidemment, tout ne fonctionne pas toujours comme sur des roulettes. Il faut laisser place aux divergences d'opinions. En fait, je n'ai jamais cessé d'encourager Tiger à remettre en question ce que je lui disais; s'il trouvait que j'étais dans l'erreur, il devait me le laisser savoir pour que, moi aussi, j'assimile. C'est ainsi que les enfants peuvent apprendre des choses à leurs parents. Malheureusement, peu d'enfants ont cette chance, car peu de parents prennent le risque d'afficher leur vulnérabilité.

D'ailleurs, vous ne vous sentirez peut-être jamais aussi vulnérable que je ne l'ai été lors des premières parties de golf que j'ai jouées avec Tiger. Il n'avait que 18 mois et ne savait pas compter jusqu'à cinq, mais d'instinct, il comprenait la distinction entre une normale[1] 5, une normale 4 et une normale 3. Il retenait non seulement son nombre de coups, mais aussi le mien. Il disait: «Papa, tu as fait un double boguey[2].» Sur une normale 4 (c'est-à-dire pour un trou qui devrait se faire normalement en 4 coups) un double boguey signifiait qu'il en avait fallu six. Et pourtant, il ne savait pas compter jusqu'à cinq! J'étais renversé! Il observait le nombre de coups nécessaires pour arriver au vert, puis le nombre de roulés[3] que j'effectuais. De toute évidence, il additionnait le tout dans sa tête, puis concluait par une phrase ou un nom-

---

1. *Par:* on dit aussi par en français.
2. *Bogey ou bogy:* la normale du parcours.
3. *Putt:* se dit aussi coup roulé.

Hourra! J'ai réussi!

bre. Il ne disait pas six ou sept, mais double boguey et triple boguey. Comme vous pouvez le constater, je ne pouvais pas «tripoter» ma carte de pointage, en tout cas pas en présence de Tiger.

Une des choses les plus difficiles à enseigner à Tiger fut la nécessité d'adopter une méthode[1] avant de frapper la balle. En langage militaire, on parle d'instructions permanentes d'opération (IPO); dès que l'on peut quantifier une chose, ou la transformer en méthode ou routine, on élabore des IPO, évitant ainsi d'avoir à réinventer sans cesse la roue. On développe des automatismes, ce qui accroît par le fait même l'efficacité. Les IPO sont axées sur un problème et sa solution.

Dans le cas de Tiger, le problème consistait à lui faire comprendre qu'au golf, la première étape, c'est de se placer derrière la balle. De cette position, on peut visualiser le coup

---

1.   *Preshot routine:* se dit aussi routine.

à frapper et planifier correctement son exécution. La solution consistait donc à trouver des IPO pour que le jeu de Tiger reste constant, quelle que soit la pression. J'utilisai donc des IPO pour établir une méthode.

Tiger n'aimait pas du tout l'idée de visualiser d'abord le coup avant de frapper la balle. Nous eûmes une longue discussion à ce sujet. Finalement, je lui demandai: «Est-ce qu'à chaque coup correspond une cible?» Il répondit oui. «Existe-t-il une meilleure façon de déterminer la cible qu'en se plaçant derrière la balle pour bien voir?

– Papa, tu as raison», conclut mon petit bonhomme de trois ans. «C'est une bonne idée.» C'est ainsi que nous élaborâmes une routine avant de frapper la balle.

Je lui montrai ensuite comment évaluer mentalement tous les facteurs susceptibles d'influer sur son coup. Je ne pense pas qu'un enfant normal de trois ans pourrait comprendre ce que j'essayais d'expliquer à Tiger, mais mon fils n'était pas comme tous les petits garçons normaux de trois ans. J'utilisai donc la méthode «questions et réponses». Je lui demandai: «Que dois-tu savoir avant de frapper la balle?»

Il répondit: «La distance.

Je dis: «Oui, la distance est un des facteurs.

– Quoi d'autre?», demandai-je encore.

Il dit: «Et la fosse de sable[1]?

– Oui», répondis-je, «il y a la fosse de sable. Mais il y a d'autres facteurs encore.

– Si ma balle est sur une motte de gazon[2].

– Cela s'appelle la position de la balle[3]. C'est un facteur aussi. Mais qu'en est-il de...» – à cet instant, je soufflai avec ma bouche.

---

1. *Sand trap* ou *bunker:* se dit parfois banquette.
2. *Divot.*
3. *Lie.*

– Oh! Le vent, papa, le vent», dit-il, les yeux grands ouverts comme s'il avait fait une importante découverte. Il venait d'apprendre beaucoup de choses en s'amusant; par le jeu, nous pûmes rapidement passer en revue tous les facteurs dont il devait tenir compte pour choisir un bâton et exécuter sa routine. Il mit également au point une routine similaire pour les roulés.

Tiger finit par reconnaître le besoin d'adopter une routine et il utilise encore aujourd'hui celle que je lui enseignai à cette époque. J'en utilise également une, différente mais servant à la même chose. Nous apprîmes donc ensemble. Notre relation se métamorphosa et dépassa rapidement les liens parent-enfant: nous devînmes des amis. Vous conviendrez probablement qu'il n'existe rien de plus important dans le monde d'aujourd'hui que la présence d'un ami, surtout si cet ami est votre propre enfant.

2 Quand commencer?

Planification, intégrité, responsabilité, patience, frustration, gestion du succès et de l'échec, travail acharné

Pour qu'un athlète parvienne à pratiquer un sport de façon instinctive, il doit commencer le processus d'apprentissage très tôt afin que la pratique de ce sport s'enracine profondément en lui et émane de son subconscient. Par exemple, à quel âge peut-on offrir à un enfant un gant et une batte de baseball? Il n'est pas rare qu'on le fasse alors qu'il est encore au berceau, l'enfant grandit alors en sachant d'instinct comment lancer et attraper une balle. J'avais pour objectif d'adopter la même approche en ce qui a trait au golf. Je voulais que l'élan[1] de golf devienne un geste aussi naturel chez Tiger que le lancer d'une balle l'est pour un enfant à qui on enseigne très tôt le baseball.

Il n'existe aucune règle établie pour déterminer le moment d'initier votre enfant. On doit tenir compte de plusieurs facteurs. Un des plus importants est l'âge auquel les parents sentent que l'enfant est prêt – et non le moment où eux-mêmes croient que leur enfant est prêt. Après tout, qui connaît mieux un enfant que ses parents? L'âge auquel on

---

1. *Swinging club* ou *swing*.

initie un enfant au sport dépend grandement de sa maturité et de la façon dont il aborde les nouvelles expériences.

Par ailleurs, la présence de frères et sœurs facilite la tâche des parents, car on peut alors enseigner à plus d'un enfant à la fois. Ne soyez pas surpris si le petit frère ou la petite sœur apprend plus rapidement; l'aîné sert alors d'enseignant miniature qui montre aux autres ce qu'il a appris de vous ou d'une autre source. Les enfants apprennent par l'observation et l'imitation. Par exemple, Tiger m'observait, assis dans sa chaise haute installée dans le garage, tandis que

Même à deux ans et huit mois, on peut s'entraîner dans une fosse de sable.

Maman place la balle pour Tiger, âgé de deux ans et sept mois. La scène se déroule sur le terrain d'exercice du club de golf de la marine américaine.

Tiger à trois ans.

je frappais des balles dans un filet. Très vite, je constatai qu'il imitait mon élan.

Laissez la curiosité naturelle de l'enfant s'exprimer et se développer. Si un bâton de golf traîne dans la maison, l'enfant s'en emparera peut-être, commencera à jouer avec et essaiera de savoir à quoi il peut bien servir. Il viendra peut-être vous voir pour vous le demander. Profitez alors de l'occasion pour initier l'enfant à ce sport.

C'est une erreur d'imposer le golf à un enfant, car vous obtiendrez invariablement des résultats négatifs. L'apprentissage d'un sport doit se faire dans la collaboration et le plaisir, car vous enseignez bien plus qu'un sport: vous transmettez également des valeurs sociales, des coutumes et des traditions. L'enfant apprend la vie puisque les corollaires du golf ont pour nom intégrité, responsabilité et patience. Ce sport forme le caractère, et tout peut commencer par une balle et un bâton en plastique déposés dans le berceau de votre enfant. Les bébés apprennent rapidement. Ils feront le lien entre le bâton et la balle et apprendront en jouant à frapper la balle. D'eux-mêmes, sans influence extérieure, ils s'initieront aux principes et à la structure du golf.

Évidemment, la situation rêvée est celle où l'enfant vient vous voir et dit: «J'ai vu une partie de golf à la télévision et j'aimerais beaucoup apprendre à jouer.» Une telle situation est idéale, car elle ouvre la porte à une discussion sur ce sport. Mais les choses se passent rarement ainsi. Les parents qui souhaitent initier leur enfant au golf doivent donc faire preuve à la fois de créativité et de sens pratique.

Si vous jouez vous-même au golf, c'est une bonne idée de vous entraîner en présence de l'enfant, *à condition* d'avoir un élan correct; en effet, vous ne voulez sûrement pas inculquer à votre enfant de mauvaises habitudes qui seront difficiles à corriger par la suite. Ce que vous souhaitez transmettre, c'est votre enthousiasme, votre amour du golf, le plaisir que vous éprouvez à frapper la balle. Les enfants sentent rapidement cet enthousiasme et veulent en faire l'expérience. «S'il te plaît, laisse-moi en frapper une», implorera l'enfant. Acceptez, mais limitez-le à quelques balles. Il faut laisser l'enfant sur sa faim pour qu'il en redemande.

Vous vous demandez peut-être comment maintenir l'attention de votre enfant. Ma réponse est la suivante: gardez l'apprentissage intéressant et amusant. Avec un peu de ruse et d'imagination, vous parviendrez à créer un climat d'apprentissage à la fois agréable et stimulant. C'est peut-être la tâche la plus exigeante du rôle parental, mais c'est aussi la plus gratifiante. Vous adorerez.

Pour ma part, j'ai été chanceux. Tiger s'intéressa immédiatement au golf. Tout comme moi, il se passionna tout de suite pour ce sport. Et j'ai toujours fait en sorte qu'il en redemande. À l'âge de deux ans, il avait mémorisé mon numéro de téléphone au travail et, l'après-midi, il me téléphonait pour me demander: «Papa, est-ce que je peux m'entraîner avec toi aujourd'hui?»

Je ne répondais pas tout de suite, histoire de faire durer le suspense. Puis, je finissais pas dire «D'accord».

Il répondait alors: «O.K., papa. On se verra sur le parcours de golf. Je vais demander à maman de m'y conduire.» Il était toujours débordant d'énergie lorsqu'il arrivait sur le parcours, car il avait l'impression de m'avoir soutiré quelque chose. Il avait mérité le droit de jouer: avant que ma femme lui permette de m'appeler au travail, il avait fait avec elle le rituel quotidien d'additions, de soustractions et de multiplications. Comme je ne voulais pas qu'il se lasse du golf, j'ai toujours pris soin de garder ce sport stimulant, amusant et axé sur la compétition.

Chez un enfant, l'une des barrières les plus énormes à franchir dans l'apprentissage du golf reste la frustration. La plupart des enfants se découragent lorsqu'ils sont incapables de maîtriser quelque chose rapidement. Dans le golf, comme dans la vie, il n'y a pas de gratification immédiate. Vous devez faire comprendre à votre enfant que vous non plus ne maîtrisez pas le golf parfaitement – personne, en fait, n'y parvient –, ce qui ne vous empêche pas de jouer et de vous amuser. Montrez-lui que vous essayez très fort vous aussi de vous améliorer. Cela donne l'occasion de tracer un parallèle avec la vie: on ne réussit pas toujours immédiatement les nouvelles choses qu'on entreprend, mais si on fait les efforts nécessaires pour s'améliorer, on sait au moins qu'on a fait de son mieux.

Ne prononcez jamais le mot *échec*. Mettez plutôt l'accent sur les choses positives. «J'aime ton mouvement avec le bâton. Avant longtemps, tu frapperas avec une force d'une tonne!» Le renforcement positif et l'entraînement comme priorités forment une combinaison gagnante. Lorsque les gens demandaient à Tiger comment il avait fait pour devenir un si bon joueur de golf, il souriait et répondait: «L'entraînement, l'entraînement, l'entraînement. Oooh!» J'ignore d'où venait ce «oooh!», mais c'est ce qu'il répondait.

Peu importe vos bonnes intentions, votre enfant ne manifestera peut-être aucun intérêt pour le golf. Ne désespérez pas. Vous pouvez contrer cette indifférence, plus répandue que vous le pensez, en participant davantage au sport qui l'intéresse. Trouvez une façon d'enseigner, par l'entremise du sport, les choses que vous trouvez importantes dans la vie en général. Ne cessez jamais d'appuyer votre enfant. Ne fermez pas la porte au golf; faites sentir à votre enfant qu'il a toujours le droit de changer d'idée et, à l'occasion, faites allusion au plaisir que vous procure le golf. Invitez-le à s'entraîner avec vous, mais sans insister.

Discutez ouvertement des nuances du golf et faites le lien entre le golf et le sport préféré de votre enfant. Vous pouvez dire, par exemple: «Je sais que tu aimes faire des paniers parce c'est amusant. Quand j'étais petit, j'avais l'ha-

À trois ans et huit mois.

47

Tiger a 5 ans et son élan s'améliore davantage avec l'âge.

bitude de faire la même chose, mais je n'étais pas très bon. Je réussissais une fois sur dix. Aujourd'hui, lorsque je pratique mes roulés, j'en rate quatre sur cinq. Toutefois, lorsque j'en réussis un, je suis aussi content que lorsque tu réussis un panier à une distance de six mètres.»

Faites des comparaisons que l'enfant peut comprendre. Entre-temps, vous plantez des semences: laissez-les germer tout en les cultivant. Tôt ou tard, votre enfant appréciera et comprendra davantage votre sport, tout comme vous apprécierez et comprendrez davantage le sien. Il faut parfois des années avant d'intéresser un enfant au golf. Vous ne pouvez pas l'y forcer. Tout ce que vous pouvez faire, c'est de laisser la porte ouverte. Ne perdez pas espoir; après tout, j'ai commencé à jouer au golf à quarante-deux ans seulement.

3 Le travail d'équipe

*Plaisir, compétition, occasion favorable,
concentration, humour, patience,
attitude positive*

L a situation idéale est celle où votre enfant vous demande, comme Tiger le faisait: «Papa, est-ce que je peux m'entraîner avec toi aujourd'hui?» Cependant, comme cela n'est pas toujours le cas, vous devez éviter de faire sentir à votre enfant qu'il est obligé de s'entraîner. Donnez-lui plutôt l'impression que vous désirez lui montrer à quel point le golf est amusant.

Pour moi, la meilleure façon de travailler avec des enfants est de leur proposer des défis, car ils sont toujours prêts à en relever. «Voyons voir si tu es capable de...» Vous devrez parfois vous montrer espiègle et perdre intentionnellement une partie, car n'oubliez pas qu'au début, votre habileté sera fort probablement supérieure à la sienne. Toutefois, je vous assure qu'avec le temps, votre enfant deviendra inévitablement meilleur que vous. C'est ce qui est arrivé avec Tiger.

C'est à deux occasions différentes que Tiger me battit pour la «première fois». La première eut lieu un jour que nous jouions sur un parcours par-3[1] à Heartwell, Long

---

1. Par-3 et normale-3 sont synonymes, c'est un parcours dont tous les trous ont une normale de 3.

Beach. Tiger n'avait que huit ans, mais, je suis forcé de l'admettre, il remporta la partie (ce n'était cependant pas une véritable défaite puisque je n'avais pas donné ma pleine mesure). Encore aujourd'hui, cette partie est l'objet d'une controverse entre lui et moi. Il n'en reste pas moins que ce jour-là, lorsque Tiger m'annonça: «Papa, je t'ai battu», ce fut comme une douce musique à mes oreilles.

Cependant, dans mon album de souvenirs, la première véritable victoire de Tiger eut lieu lorsqu'il avait onze ans. Cette fois, j'avais donné le maximum, mais il me battit à plates coutures. Je ne pus jamais le battre par la suite, et je ne le pourrai jamais. Attention à tous les parents, donc, car vous créez des monstres. Des monstres magnifiques, cependant, des jeunes élèves doués que vous serez réellement fiers et heureux de voir s'épanouir à la fois comme golfeurs et comme individus. Les deux sont inséparables.

Les enfants réagissent positivement lorsqu'on attise leur curiosité. Le meilleur moyen de maintenir leur intérêt est de rendre le golf amusant. De plus, vous devez toujours afficher une attitude patiente et positive. Il existe plusieurs façons d'y parvenir, mais je crois que la meilleure consiste à axer le jeu sur la compétition. En donnant à l'enfant l'occasion de montrer, de temps en temps, sa supériorité, on peut soutenir son intérêt. Vous trouverez plus loin une liste détaillée de jeux et de compétitions que vous pourrez utiliser comme outils pédagogiques.

Ces jeux peuvent également servir à enseigner l'étiquette du golf, c'est-à-dire les règles et les comportements appropriés. Par exemple: «Ne jamais courir sur le vert, toujours replacer les mottes de gazon et réparer les marques laissées par sa balle.» Ma liste de jeux peut aussi vous aider à élaborer un vocabulaire propre au golf. En effet, le golf possède sa propre terminologie, à la fois technique et non technique. Il est important de l'utiliser lorsqu'on enseigne le golf à un enfant, afin que les messages exprimés et reçus soient toujours clairs.

50

Le défi est de s'assurer que le message est bien compris afin que l'élève assimile réellement ce qu'on lui enseigne.

La plupart des parents ont une longueur d'avance au point de vue technique par rapport à leurs enfants, mais les explications doivent rester simples et directes. Si l'enfant est très jeune, vous devez être capable de faire une démonstration, d'expliquer oralement, puis de refaire la démonstration, si nécessaire à plusieurs reprises, jusqu'à ce que l'enfant comprenne et montre qu'il a compris.

Les mots prise initiale[1], répartition du poids[2] et équilibre[3] font partie du vocabulaire du golf. C'est à l'aide de démonstrations que j'enseignai à Tiger le sens de chacun de ces mots. Je commençai par la position initiale[4] : les pieds légèrement écartés, les genoux fléchis, la taille et les hanches parallèles aux pieds. Je lui expliquais ces éléments un à la fois, puis je les expliquais de nouveau. Tiger avait du mal à saisir le sens du mot *parallèle*. Il avait seulement un an à l'époque, et sa prise d'élan[5] dépassait cette ligne parallèle imaginaire ; son bâton pointait donc vers le sol.

Il conserva cet élan pendant deux ans, jusqu'au jour où nous fûmes invités à faire une démonstration au Santa Ana Country Club. Le professionnel en chef prit une photo Polaroïd de l'élan de Tiger. La photo montrait le bâton de Tiger pointant vers le sol. J'utilisai cette photo pour montrer à Tiger ce que je voulais dire par *parallèle*. «Tu vois où se trouve ton bâton?», lui dis-je, montrant que sa prise d'élan faisait pointer son bâton vers le sol. «Ton élan penche trop vers l'arrière. Il devrait s'arrêter là, parallèle au sol.» Avec mon doigt, je lui indiquai les lignes parallèles formées par ses épaules et le sol. «Voilà ce que signifie parallèle, lorsque ces deux lignes sont comme ça.

---

1. *Setup* ou *set-up*.
2. *Weight distribution*.
3. *Balance*.
4. *Ready position:* appelée aussi la position de départ.
5. *Backswing:* se dit aussi montée.

Position parallèle.

– Oh!», répondit-il. À partir de cet instant, sa prise d'élan ne dépassa plus jamais cette ligne parallèle.

Les enfants apprennent rapidement, surtout lorsqu'on explique la terminologie du pointage. Une normale désigne le nombre de coups qu'il faut à un golfeur aguerri pour faire franchir à sa balle la distance entre le tertre de départ[1] et la coupe[2]. Le nombre de coups nécessaires varie en fonction de la distance. On parle habituellement d'une normale 5, d'une normale 4 et d'une normale 3. Pour chaque normale, on alloue deux roulés pour atteindre le trou. Par exemple, dans une normale 4, la distance est suffisamment grande pour

---

1. *Tee off.*
2. *Hole.*

empêcher un golfeur normal – John Daly étant l'exception – d'atteindre le vert en un seul coup. Cette distance a été calculée pour être franchie en 4 coups au total : deux coups pour atteindre le vert, puis deux roulés. On fait un boguey lorsqu'on dépasse d'un coup la normale, et un double boguey lorsqu'on la dépasse de deux coups, et ainsi de suite.

Lorsque Tiger commença à jouer, je déterminais moi-même la normale pour lui. Comme il savait ce qu'était une normale, le fait de la changer provoquait des discussions particulièrement animées. Par exemple, une normale pour un trou situé à 390 verges[1] ou 350 mètres devenait pour lui une normale 7 ; afin de réussir la normale, Tiger disposait donc de cinq coups pour atteindre le vert et de deux roulés. En grandissant, la puissance de ses coups augmentait, et il pouvait atteindre le vert en moins de coups. Je réduisais alors sa normale. «Non, non», protestait-il. Une normale ne lui suffisait plus : il voulait réussir des oiselets[2].

Ainsi naquit un désir de vaincre insatiable. Ce que je veux dire par là, c'est que si Tiger se trouvait à cinq coups sous la normale, il voulait atteindre six coups sous la normale ; et lorsqu'il obtenait six coups sous la normale, il voulait atteindre sept coups sous la normale. Tiger ne se disait pas : «Wow! je suis cinq coups sous la normale ; c'est exceptionnel pour mon âge».

En vérité, dès l'âge de deux ans, Tiger avait cette attitude. Il réussissait cinq, six, sept coups sous les normales que j'avais déterminées. Nous nous disputions parce qu'il voulait toujours être sous la normale. Il ne se rendait pas compte que je lui permettais des coups supplémentaires. Aujourd'hui, nous en rions de bon cœur. Avec le temps, ces petits jeux axés sur la compétition se transformèrent en expérience d'apprentissage commune qui nous a rapprochés et dont nous tirons encore profit aujourd'hui. Je suis certain qu'il peut en être ainsi pour votre enfant et pour vous.

---

1. Au Québec, on parle encore de verges.
2. *Birdie:* trou joué en un coup sous la normale.

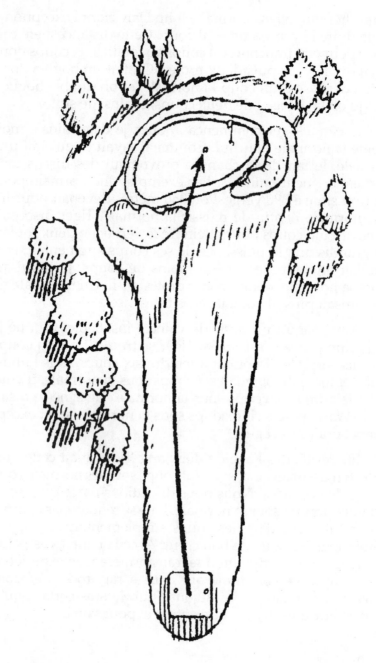

Une normale 3 typique.

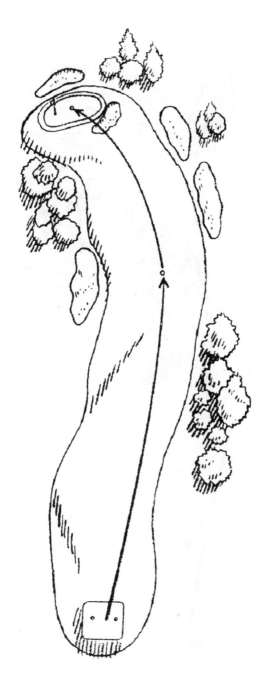

Une normale 4 typique.

Une normale 5 typique.

4   L'équipement

Ajustement, sécurité, personnalisation, économie, confiance, utilisation

Pour jouer au golf, un certain équipement est nécessaire. Au tout début de l'apprentissage, l'équipement est minimal, mais il doit être adapté à l'âge et à la taille de votre enfant. Les trois principaux facteurs à considérer sont le poids total du bâton, sa longueur, ainsi que l'épaisseur de la poignée[1]. Tout comme il serait impensable de mettre entre les mains d'un enfant de neuf ans un bâton de baseball de 90 cm, on ne donne pas à un enfant un bâton de golf d'adulte.

Prenez donc soin de procurer à votre enfant des bâtons de taille appropriée non seulement au début de son apprentissage, mais tout au long de sa croissance. Il faut également tenir compte de l'angle d'ouverture du bâton[2]. Pour votre enfant, vous devriez utiliser un fer[3] aux nos 7, 8 ou 9 afin de l'aider à frapper la balle dans les airs. Il n'y a rien de plus frustrant que de frapper le sol à chaque coup. En revanche, lorsque votre enfant réussit à faire s'envoler la balle, regar-

---

1.   *Grip :* on dit souvent aussi quand il est question du jeu lui-même, la prise.
2.   *Loft :* angle de la face d'un bâton de golf. Le verbe *loft* signifie donner de la hauteur à la balle.
3.   *Iron :* bâton en fer.

dez bien ses yeux émerveillés. La partie commence. Votre enfant a la piqûre du golf.

Inutile de vous procurer un grand nombre de bâtons. Un fer et un fer droit[1] suffisent au départ, à condition de les choisir de taille et de poids appropriés. Depuis peu, on trouve sur le marché des bâtons et des balles en plastique, ainsi que des bâtons dont le manche est en fibre de carbone (léger et pratique). Ce genre d'équipement est offert à prix abordable dans les magasins d'articles de sport et dans les boutiques de golf[2].

Les ateliers où on modifie sur mesure de l'équipement de golf se feront un plaisir de fabriquer un bâton pour votre enfant à un prix raisonnable. C'est là que je me suis procuré le premier équipement de Tiger. Depuis ses tout débuts, Tiger utilise des bâtons fabriqués par le Custom Golf House, situé à Orange en Californie. Tiger a un telle confiance en son propriétaire, Bill Orr, qu'il ne permet à aucun autre professionnel d'apporter des ajustements à ses bâtons. Vous aussi pouvez développer un lien similaire avec des spécialistes en réparation de votre région et tirer profit de leur savoir-faire et de leurs conseils pendant des années.

D'ailleurs, je vous déconseille de couper ou de modifier vous-même des bâtons, car vous pourriez aisément aller à l'encontre du but visé. Vous risqueriez notamment de trop couper le bâton et de le rendre inutilisable. De plus, on doit utiliser un ruban spécial pour fabriquer la poignée d'un bâton, sans compter qu'il faut déterminer avec précision l'épaisseur de la poignée, qui doit s'insérer parfaitement dans les mains de votre enfant. Bref, vous pouvez donc éviter une foule d'erreurs en confiant ce travail à un spécialiste. En toute franchise, le coût n'est pas inabordable. Les prix varient selon les régions, mais vous pouvez vous attendre à débourser entre 15$US et 20$US pour la fabrication d'un seul bâton de golf.

---

1. *Putter:* on dit aussi poteur ou potteur.
2. *Pro shop.*

Le premier bâton de Tiger était un fer n° 7 qu'on avait allégé en amincissant l'arrière de la face[1]. La poignée posait un problème particulier en raison du très jeune âge de Tiger. Comme le fer devait être considérablement raccourci, le diamètre du manche devenait trop petit pour comporter une poignée. Afin de résoudre ce problème, on enveloppait le manche avec du ruban ordinaire et la poignée pouvait ainsi tenir. Ironiquement, la poignée tenait sur le manche, mais elle était trop grosse pour les mains de Tiger. Nous devions donc, Bill et moi, faire d'autres ajustements. Et devinez qui était le critique le plus exigeant? Tiger lui-même. Il voulait que son équipement soit parfaitement ajusté et il insistait tellement sur ce point que je dus me résoudre à lui procurer un équipement adéquat tout au long de sa croissance.

Le fer droit fut une tout autre paire de manches. Par la nature même de son design, il peut être raccourci et convenir encore parfaitement à un enfant. Je recommande un fer droit où le poids est réparti dans la pointe et le talon[2]; ce bâton procure un meilleur équilibre et facilite la frappe de la balle. La longueur est un élément clé si vous voulez aider votre enfant à éviter les mauvaises habitudes. Prenons comme exemple le fameux joueur japonais Isao Aoki. Lorsqu'il effectue ses roulés, on voit que la pointe de son fer droit est orientée vers le haut. Il a sûrement acquis cette mauvaise habitude enfant en utilisant un fer droit trop long pour lui.

Tiger reçut son premier véritable fer droit lorsqu'il avait sept mois. Il déambulait en trotteur[3] dans la maison en tenant son petit bâton. Il ne cassa jamais rien et c'était son jouet favori. À dix mois, il utilisa ce même bâton pour frapper sa première balle de golf dans le garage. Voilà tout ce dont il avait besoin: un fer n° 7, dont l'angle d'ouverture était approprié, et un fer droit. Il utilisa seulement ces deux bâtons pendant la première année.

---

1. *Face.*

2. *Heel-and-tœ weighted.*

3. plus communément appelé marchette au Québec.

Selon son âge, votre enfant peut avoir besoin d'un plus grand nombre de bâtons. Vous devriez alors lui procurer un ensemble de bâtons pour débutant qu'on trouve facilement dans certains magasins de détail. Avec un sac de golf[1], on fait d'une pierre deux coups: l'enfant dispose d'un moyen de transport pour ses bâtons et, surtout, il prend la bonne habitude de les transporter lui-même. D'ailleurs, dans tous les tournois juniors, on demande aux participants de transporter eux-mêmes sac et bâtons. Il n'y a ni caddie ni voiturette[2]. C'est mon épouse qui conçut et cousit à la main le premier sac de Tiger. Plusieurs d'entre vous se souviennent peut-être de l'apparition de Tiger au *Mike Douglas Show*, dans lequel il participa à une compétition de roulés et de coups de départ[3] en compagnie de Bob Hope. Le sac qu'il transportait ce soir-là était une œuvre d'amour et de créativité de sa mère.

Avez-vous remarqué que nous avons parlé de bâtons jusqu'à maintenant, mais pas de balles? Il ne s'agit pas d'un oubli de notre part. À cette étape-ci, la balle est la composante la moins importante. Vous pouvez utiliser n'importe quelle balle. Pour des raisons de sécurité, je suggère fortement d'utiliser, du moins au début, des balles en plastique ou en caoutchouc souple, ou même une balle de tennis. Votre choix est illimité. Les magasins d'articles de sport offrent des balles d'exercice[4] qui sont particulièrement efficaces et sans danger pour les enfants.

Dès qu'il aura acquis une certaine adresse, votre enfant voudra sûrement avoir un ensemble de bâtons complet. Encore une fois, la taille, le poids et la longueur sont d'une importance capitale. Je recommande un ensemble comprenant un fer droit, un cocheur de sable[5], un cocheur d'allée[6] et

---

1. *Bag.*
2. *Cart.*
3. *Drive* ou *driving contest* : coup de longue distance donné au départ d'un trou; on l'appelle aussi drive.
4. *Wiffle-type golf ball.*
5. *Sand wedge.*
6. *Pitching wedge.*

des fers n°s 5, 6, 7, 8 et 9. Règle générale, un enfant ne possède ni la force ni l'élan nécessaires pour frapper avec les fers longs[1] (les fers n°s 2, 3 et 4). Acheter ces fers dans ce cas est inutile.

Votre enfant n'est sûrement pas différent du mien; il voudra frapper la balle le plus loin possible. Pour ce faire, il lui faut un bois[2]. Je suggère de se limiter à deux, par exemple un bois n° 5 et un bois n° 7. Si l'enfant est âgé de plus de dix ans, on ajoute un bois n° 3, car son angle d'ouverture augmente la capacité de l'enfant de frapper la balle dans les airs. L'utilisation d'un bois donne de l'assurance à l'enfant et accroît son plaisir. Après tout, l'objectif est de frapper la balle et de s'amuser à le faire.

---

1. *Long iron.*
2. *Wood.*

Partie 2

L'apprentissage de l'élan de golf

5 Les principes fondamentaux et la mécanique du golf

Choix, maîtrise, intuition, répétition, exactitude, naturel

Le golf suit la même règle que tous les autres sports: pour bien en jouer, il faut maîtriser ses principes et sa mécanique. Bien entendu, il existe des joueurs qui, par simple adaptation et répétition, sont devenus d'excellents joueurs malgré leur élan peu orthodoxe (on n'a qu'à penser à des joueurs tels Miller Barber et Lee Trevino). Toutefois, il y a gros à parier que ces joueurs avaient une idée très articulée de ce qu'est le golf. Ils comprenaient l'importance d'une bonne prise du bâton, d'une position initiale adéquate, d'un rythme régulier et d'un bon équilibre.

La prise du bâton

Au golf, tout découle de la prise du bâton. La prise doit absolument être correcte, car elle représente le trait d'union entre la balle et les mains.

Il existe trois grandes sortes de prises du bâton: la prise baseball[1], la prise entrecroisée[2] et la prise chevauchée Vardon[3]. Au début, laissez votre enfant choisir la prise avec

---

1. *Baseball grip.*
2. *Interlock grip.*
3. *The Vardon grip* ou *overlap grip.*

 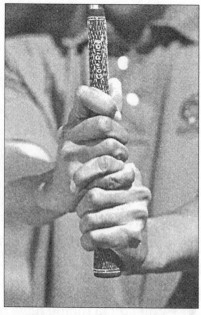

Dans la prise baseball, les dix doigts sont en contact avec le bâton.

Dans la prise entrecroisée, l'auriculaire (le petit doigt) de la main droite et l'index de la main gauche s'entrecroisent.

laquelle il est le plus à l'aise. Puis, plus son intérêt et son adresse augmentent, enseignez-lui les autres prises. L'enfant décidera alors celle qu'il préfère. Laissez-lui l'entière liberté de choisir. Ne lui imposez rien.

Jusqu'à l'âge de six ans, Tiger utilisa la prise baseball. Pourtant, dès l'âge de trois ans, je lui avais montré les autres prises. C'est seulement à sept ans qu'il opta pour la prise entrecroisée. Pourquoi cette prise? Car ses mains étaient encore très petites et le croisement de ses doigts lui permettait de prendre le bâton avec plus de fermeté. D'ailleurs, Jack Nicklaus utilise lui aussi cette prise à cause de ses petites mains. Après avoir adopté celle qu'il considérait plus commode et qui lui permettait de frapper la balle de manière régulière, Tiger ne changea plus jamais sa prise.

Les mains représentent l'élément clé dans la maîtrise du bâton. Comme elles sont le point de contact entre le corps et le bâton, elles exercent un contrôle sur la trajectoire et la

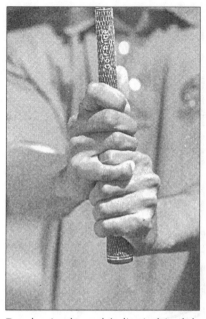

Dans la prise chevauchée, l'auriculaire de la main droite s'intercale entre l'index et le majeur de la main gauche.

ligne d'envol[1] de la balle. Pour contrôler la trajectoire de la balle, les mains doivent être alignées non seulement l'une avec l'autre, mais également avec la face du bâton. Plus tôt vous enseignerez cet élément, meilleurs seront les résultats.

Il s'agit d'un principe facile à enseigner. Comme Tiger ne parlait pas encore lorsque je lui enseignai ce principe, j'utilisai des illustrations. Je lui demandai d'applaudir; il applaudit en tapant des mains. Je lui demandai ensuite d'arrêter et de laisser ses paumes collées ensemble, afin de lui montrer comment ses mains formaient une seule et même unité capable de fléchir et de plier simultanément. «Tes mains doivent être placées ainsi si tu veux frapper la balle en ligne droite.» Je pris alors un bâton et l'insérai entre ses mains. «Voilà comment il faut le prendre.» Puis, j'ajoutai: «Tu te rappelles comment on faisait bouger nos mains ensemble?» Il hocha la tête. «Maintenant, fais la même chose avec le bâton.» Tiger réussit du premier coup.

Même les enfants de 10 mois ont une conscience très aiguë de leur corps. Ils sentent instinctivement l'équilibre et l'alignement. Ils le savent, tout simplement. À partir du moment où je lui enseignai la position des mains, Tiger aligna toujours ses mains non seulement l'une avec l'autre, mais avec la face du bâton. Cette méthode peut fonctionner quel que soit l'âge de l'enfant.

---

1. *Flight pattern.*

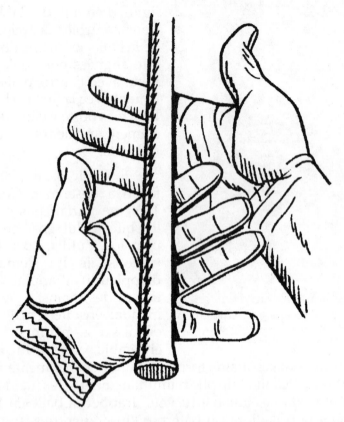

Tout au long de l'élan, il est important d'établir et de maintenir la prise avec le petit doigt de la main gauche.

Voici une autre méthode que vous pouvez essayer. Demandez à l'enfant de se mettre debout, les bras le long de son corps. Placez le bâton dans sa main gauche et alignez la face du bâton de façon qu'elle forme un angle de 90° par rapport au sol. C'est la ligne d'alignement[1]. Dans cette position, la main gauche prend de façon naturelle le bâton et s'aligne avec la face. Il reste ensuite à montrer à l'enfant comment placer sa main droite sur le bâton et l'aligner avec sa main gauche. Pour ce faire, demandez-lui de ramener le bâton vers le centre de son corps, puis dites simplement: «Place ta

1. *Target line.*

Bien que les dix doigts se trouvent sur le bâton, il existe des points de pression précis comme le montre cette illustration.

main droite sur le bâton. » Il est fort possible que votre enfant placera sa main correctement du premier coup.

La plupart des enfants préfèrent la prise baseball. C'est la façon la plus naturelle de prendre un bâton avec les deux mains et pour eux, un bâton de golf n'est rien de plus qu'une tige de métal munie d'une poignée. Vous ne serez donc pas étonné si votre enfant adopte cette prise au début. En tant que parent, vous devez être très patient et faire s'exercer l'enfant jusqu'à ce qu'il maîtrise sa prise sans aide. L'important, c'est que les mains soient alignées non seulement l'une avec l'autre, mais aussi avec la face du bâton. Si l'alignement est incorrect, corrigez-le. Lorsque vous enseignez ainsi en

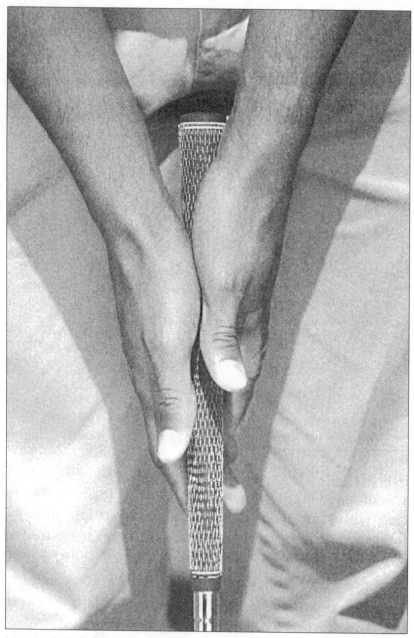

Les mains doivent être parallèles l'une par rapport à l'autre pour pouvoir travailler de façon coordonnée.

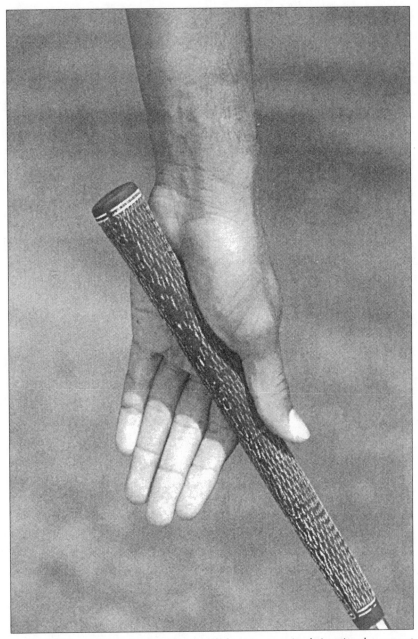

Placez le bâton en diagonale dans la paume de la main, au point de jonction du pouce et de l'index de la main gauche.

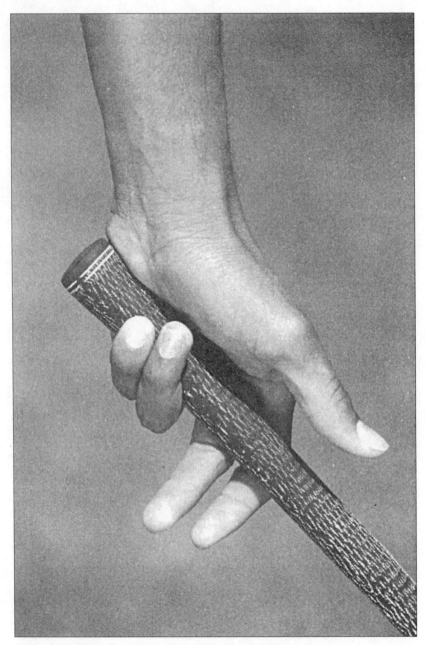

Repliez l'annulaire et l'auriculaire de la main gauche sur la poignée.

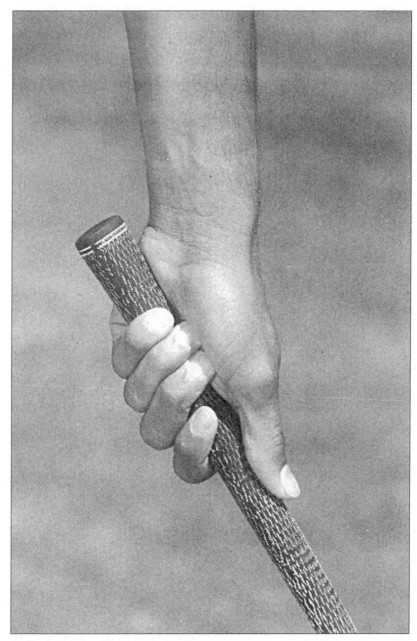

Repliez le majeur et l'index sur la poignée.

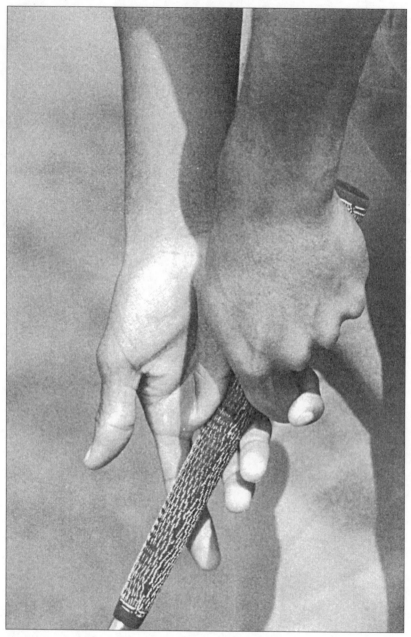

Placez la main droite sur la poignée et repliez les deux doigts du milieu (l'annulaire et le majeur).

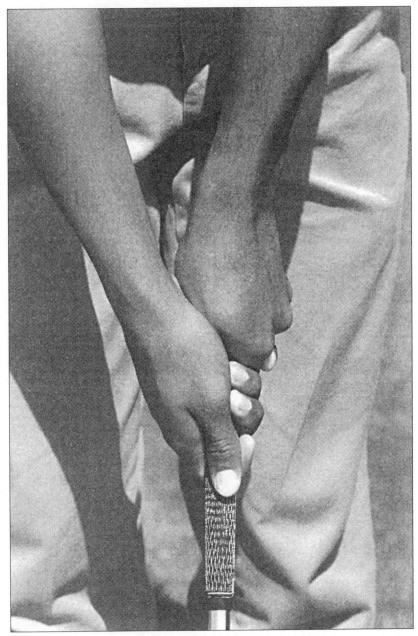

Pour terminer, refermez complètement la main droite et remontez-la. Rectifiez votre position jusqu'à ce que la prise vous convienne.

Vue de côté de la prise entrecroisée.

faisant appel à la répétition, votre enfant apprend à dévelop-per l'exactitude. Sa prise deviendra pour lui aussi naturelle que la marche.

La position initiale

Tout comme il est important d'enseigner une bonne prise du bâton, il est essentiel d'inculquer le plus tôt possible à votre enfant une bonne position initiale, dans laquelle les genoux, la taille et les épaules se trouvent parallèles à la ligne d'alignement. Plusieurs instructeurs de golf m'ont con-firmé que toutes les erreurs d'élan découlent d'une mau-vaise position initiale. C'est la même chose avec une cara-bine; peu importe la qualité de l'arme, si on ne la place pas adéquatement, on n'atteint pas la cible.

Un miroir est très utile lorsqu'on enseigne la position initiale, car il permet d'apporter des correctifs sur-le-champ. Demandez à l'enfant d'écarter les pieds de façon conforta-ble; de fléchir un peu les genoux; de pencher le haut du corps (à partir de la taille) très légèrement vers l'avant; et de laisser ses bras se balancer librement le long de son corps.

La position initiale: une position athlétique, prête à passer à l'action.

Demandez-lui ensuite de rester ainsi sans bouger, mettez le bâton entre ses mains et dites: «Voilà ta position initiale.»

Il est primordial d'insister sur l'équilibre et sur l'importance de faire porter son poids sur la face interne du pied.

Pendant que l'enfant maintient sa position initiale, poussez doucement son épaule vers l'avant et observez son mouvement de recul. Pour éviter de tomber, l'enfant fera tout naturellement porter son poids sur la face interne de ses pieds. Faites-le-lui remarquer afin qu'il sente bien la répartition de son poids. Pour illustrer davantage ce principe, vous pouvez le pousser sur l'autre épaule.

Voilà la position initiale: l'enfant fait porter son poids sur la face interne de ses pieds qui pointent à peine vers l'extérieur; les genoux sont légèrement fléchis; quant aux pieds, aux hanches et aux épaules, ils sont alignés les uns avec les autres. Le poids est réparti naturellement sur les avant-pieds, et le haut du corps penche légèrement vers l'avant à partir de la taille. Les bras pendent librement comme un prolongement du bâton. Enfin, la tête est placée de façon à bien voir la balle.

Voici un exercice destiné à renforcer l'alignement, l'équilibre et la posture. Demandez à l'enfant de prendre la position initiale, le dos droit et les pieds écartés. Dites-lui ensuite de se pencher de sorte que ses bras pendent et que ses genoux soient un peu fléchis. En répétant souvent cet exercice, l'enfant apprendra à maintenir la bonne posture. Les gens qui ont une posture relâchée ont tendance à courber le dos et la nuque.

Pour eux, il n'est pas naturel de se tenir droit; si votre enfant est porté à se relâcher ainsi en position initiale, faites-le se replacer droit et corrigez sa mauvaise posture. Son dos doit être raisonnablement droit et sa tête légèrement relevée. Vous remarquerez que cette position est naturelle et n'exige aucun effort particulier. Si vous enseignez à votre enfant ces principes fondamentaux – l'équilibre et l'alignement – alors

Placez-vous debout, le dos droit, puis prenez la position initiale afin que l'alignement, l'équilibre et la posture soient appropriés.

qu'il est encore en bas âge, il en bénéficiera pendant toute sa vie.

Le rythme

Le rythme[1] est un élément essentiel dans tous les aspects du golf, depuis les coups d'approche roulés[2] jusqu'aux coups d'approche lobés[3], et tout particulièrement dans l'élan complet[4]. Qu'est-ce que le rythme? C'est le laps de temps requis pour frapper la balle. Certaines personnes possèdent un élan rapide, alors que d'autres ont un élan lent. Si un golfeur à l'élan rapide tente de s'élancer avec lenteur, son rythme se brise. De même, si un golfeur à l'élan plus lent tente d'accélérer son mouvement, celui-ci sera précipité et inefficace. En matière d'élan, chaque golfeur doit découvrir le style qui lui est propre et s'efforcer de le maintenir tout au long du mouvement. Sous pression, le golfeur retrouve invariablement le rythme qui lui est naturel. Pour le coup roulé, les parents devraient enseigner une amorce du mouvement[5] tout en douceur, suivie d'une transition lente vers la descente[6], puis d'une accélération au moment de frapper la balle. Ces règles s'appliquent également aux approches et, avec plus de force, aux élans complets, car l'arc du mouvement[7] est plus prononcé et il faut donner plus de vitesse à la tête du bâton[8]. Tous les efforts doivent tendre à garder l'élan souple et naturel.

L'équilibre

Au golf, l'équilibre fait foi de tout. Le corps recherche tout naturellement l'équilibre. Il s'agit d'un facteur inné chez

---

1. *Tempo:* se dit aussi en français.
2. *Chipping.*
3. *Pitching.*
4. *The full golf swing.*
5. *Takeaway:* début de la montée, quand la tête du bâton s'éloigne de la balle.
6. *Forward stroke.*
7. *Swing greater length.*
8. *Club-head* ou *club head.*

Poussez l'épaule droite vers l'avant pour faire porter le poids sur la face interne des pieds.

l'être humain. Pour vérifier l'équilibre de votre enfant, demandez-lui d'abord de se mettre debout, puis poussez légèrement chacune de ses épaules vers l'avant. Il fera porter son poids sur la face interne de ses pieds. Poussez-le ensuite au milieu du dos, afin qu'il fasse porter son poids sur ses avant-pieds. Refaites la même chose, cette fois lorsque l'enfant est en position initiale.

Indiquez à l'enfant qu'il est maintenant en équilibre. Si l'enfant tombe vers l'avant lorsque vous le poussez légèrement dans le dos, cela indique que son poids repose sur ses orteils. Faites-le-lui observer et demandez-lui de déplacer son poids un peu plus vers l'arrière, c'est-à-dire sur les avant-pieds, jusqu'à ce qu'il sente la différence et atteigne son équilibre. Un dernier test à effectuer consiste à pousser l'enfant à la fois sur les épaules et dans le dos; si la poussée ne provoque aucun mouvement, c'est que l'enfant a une position initiale solide. Il est prêt à faire un élan dynamique.

Comme Tiger a des qualités athlétiques naturelles, son corps est toujours en équilibre, mais il a parfois tendance à

Pour vérifier si le poids est porté entre l'avant-pied et le talon de chaque pied, poussez doucement votre enfant dans le dos.

ramener son épaule gauche vers l'arrière lorsqu'il se place en position initiale. Pour corriger ce défaut, je lui demandais de se placer en position initiale, de fermer les yeux, de redresser son dos, de revenir à la position initiale, puis d'ouvrir les yeux. Chaque fois, l'équilibre naturel prenait le dessus et son épaule se redressait en s'alignant avec le reste de son corps. Je lui en faisais d'ailleurs la remarque. Si, lors d'un tournoi, vous apercevez Tiger se redresser après avoir visé la balle[1], puis reprendre la position initiale, vous comprendrez pourquoi.

---

1.   *Addressing the ball.*

6 La première étape: le coup roulé

Simplicité, communication, visualisation, compétition, pression, plaisir

J e crois fermement que pour enseigner l'élan complet, il faut commencer par l'élan le plus simple, c'est-à-dire le roulé, pour ensuite passer aux approches, c'est-à-dire le coup d'approche roulé et le coup d'approche lobé. Cette méthode par étapes constitue le moyen le plus simple d'enseigner le golf à un enfant, car elle n'exige pas la capacité de frapper la balle avec force. En fait, l'enseignement devrait débuter sur le vert pour en arriver progressivement au tertre de départ.

- Coup roulé ou roulé
- Coup d'approche roulé
- Coup d'approche lobé
- Élan complet

Il est très difficile d'expliquer à un enfant qui ne parle pas encore comment effectuer un roulé. La solution consiste à utiliser des exemples. Le cerveau d'un enfant est comme un livre ouvert dont les pages sont vierges. Tiger portait encore des couches lorsque je lui montrai comment frapper un roulé; comme méthode, je lui demandai de se représenter mentalement la cible à atteindre.

Comme je le disais plus tôt, le fer droit demeure fonctionnel pour un enfant même après avoir été raccourci. En effet, contrairement aux autres bâtons, on peut couper un fer droit sans que la tête devienne trop lourde par rapport à la longueur du manche. En matière de roulés, le facteur clé est donc d'utiliser un fer droit qui convient à la taille de l'enfant et qui est doté d'une poignée adaptée à ses mains. Une fois le fer adapté, on peut commencer à enseigner le roulé.

Demandez d'abord à votre enfant de lancer la balle par en-dessous (c'est-à-dire en élançant l'avant-bras vers le haut, la paume tournée vers le sol) avec sa main dominante, en direction d'une coupe située à moins de 3 mètres. Au moyen de ce geste facile et naturel qu'il maîtrise déjà, l'enfant apprend à sentir la distance. Faites-lui faire trois ou quatre lancers à la fois. Comme variante, demandez à votre enfant d'effectuer ses lancers les yeux fermés. Il prendra de l'assurance en constatant qu'il est capable de lancer un objet vers une cible les yeux fermés: une étape clé dans l'apprentissage du roulé.

Avant de passer à l'étape suivante, assurez-vous que votre enfant maîtrise bien cet exercice. Il doit acquérir la capacité de lancer la balle et de presque toujours la faire arriver à moins de 30 cm de la coupe. Les parents peuvent également participer et faire de ce jeu une expérience amusante et axée sur la compétition. Une fois cet exercice maîtrisé, on peut passer à l'étape suivante.

Votre enfant peut maintenant apprendre à tenir le fer droit. Ne lui imposez pas une prise compliquée; il vaut mieux le laisser tenir le fer droit de façon naturelle, quitte à améliorer sa prise. Lorsqu'il commença le golf, Tiger utilisait la prise baseball. Le golf est un sport où se côtoient toutes sortes de styles, dont la plupart sont acceptables.

Bon nombre des meilleurs professionnels et amateurs utilisent la prise mains croisées[1], où la main dominante se trouve à l'extrémité du bâton. Vous devriez enseigner à votre enfant une position initiale qui facilitera l'alignement de son

---

1.   *Cross-handed grip.*

Une prise pour le roulé: les deux pouces sont par-dessus la poignée tandis que l'index de la main gauche chevauche les trois derniers doigts de la main droite.

Vue de côté depuis la cible.

Vue de côté vers la cible.

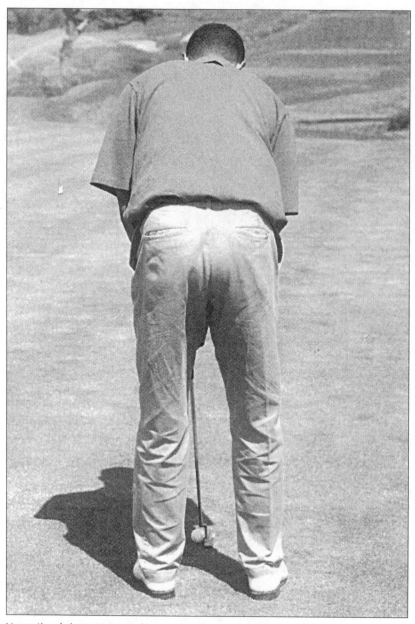

Vue arrière de la position initiale.

corps avec la coupe ou la ci- ble, afin que le roulé parte dans la bonne direction. Quand ces deux principes sont enseignés et compris, l'enfant peut passer à l'étape suivante: frapper la balle en direction de la coupe.

Au début, la distance ne devrait pas excéder un mè- tre. De cette façon, on permet à l'enfant d'atteindre la cible plus souvent et, par le fait même, on maintient son in- térêt. Placez la balle sur le vert. Demandez à votre en- fant de prendre la position initiale, de regarder la cible, puis de regarder la balle, puis la cible, puis la balle.

Demandez-lui ensuite: «Peux-tu visualiser la cible dans ta tête?» Si l'enfant ré- pond oui, dites-lui de frap- per la balle sans regarder la cible. Si la réponse est non, recommencez tout le proces- sus jusqu'à ce que l'enfant se représente mentalement la cible. Certains enfants ont besoin de regarder la cible seulement deux fois, tandis que d'autres doivent le faire à trois ou quatre reprises. Notez le lien qui existe avec l'exercice qui consistait, un peu plus tôt, à lancer la balle

On aide l'enfant à maîtriser le roulé en lui demandant d'abord de visualiser la cible, puis de frapper la balle sans regarder la coupe.

avec la main, les yeux fermés. C'est en s'exerçant souvent qu'on apprend à projeter la balle vers une cible qu'on se représente mentalement.

Plus l'enfant acquiert de l'adresse, augmentez la distance de la cible. Utilisez trois balles, une située à un mètre de la coupe, l'autre à deux mètres, et la troisième à trois mètres. Avant chaque coup, rappelez à votre enfant: «Frappe en direction de la cible que tu visualises dans ton esprit».

Les roulés ne s'effectuent pas tous sur une surface plane, ni en ligne droite. L'alignement du corps doit tenir compte de la dénivellation[1] du vert, de sa vitesse[2] et d'autres facteurs. Ces informations doivent être communiquées verbalement à l'enfant: «Ce roulé est en pente montante[3]. Le vert est rapide. Le vert est détrempé[4]. Le vert est lent.» L'enfant peut ainsi juger de façon instinctive et automatique la force à employer pour frapper la balle vers la cible qu'il se représente mentalement.

Les roulés sont toujours en ligne droite; c'est le terrain qui offre des dénivellations. Dans ces conditions, comment effectuer des roulés dont la trajectoire est irrégulière[5]: faut-il frapper la balle vers la droite pour qu'elle bifurque ensuite vers la gauche, ou vice versa? La réponse réside dans la position initiale. En regardant la coupe, on visualise la distance, la trajectoire de la balle vers la droite ou la gauche et on se donne un point de repère. Puis on prend une position initiale adéquate en visant ce point de repère. Le golfeur peut ainsi se concentrer sur la distance plutôt que sur la direction, car le contrôle de la distance est plus important que le contrôle de la direction. Par cette représentation mentale, le golfeur laisse travailler son cerveau et peut alors se concentrer uniquement sur la balle et la cible.

---

1. *Slope.*
2. *Speed.*
3. *Uphill:* on dit aussi en amont.
4. *Wet.*
5. *Breaking putt.*

Tiger comprit rapide-ment ce concept de la visua-lisation. Il eut l'occasion de le mettre en pratique à l'occa-sion de son tout premier tournoi, une compétition de coups de départ, de coups roulés et de coups d'appro-che qui se tenait au club de golf de la marine américaine, située à Cypress. Il n'avait alors que deux ans. Même s'il était, et de loin, le plus jeune participant dans la ca-tégorie des joueurs de moins de dix ans, son âge était le cadet de ses soucis. En fait, j'étais beaucoup plus ner-veux que lui. Tiger remporta la première place et reçut un trophée. La méthode de vi-sualisation du roulé fonc-tionne, et Tiger l'utilise en-core aujourd'hui.

Certains des jeux les plus simples font appel aux roulés et favorisent l'esprit de compétition. Grâce à ces jeux, votre enfant pourra tour à tour éprouver la sen-sation grisante de la victoire et apprendre à se retrousser les manches après un échec. Voici donc quelques-uns de ces jeux qui, je l'espère, vous permettront d'aider votre enfant à développer une atti-tude positive à l'égard de la compétition.

Tous les roulés sont frappés en ligne droite; c'est la pente du vert qui donne une direction à la balle.

93

- Sur un vert d'exercice[1], placez une balle à environ 30 cm de la coupe[2]. Assurez-vous que le coup à frapper est droit et que la surface est relativement plane. Le but est de caler le plus de roulés consécutifs à partir de cet endroit. L'enfant frappe ses roulés pendant que les parents comptent le nombre de coups, et vice versa. Dès qu'on rate un roulé – et croyez-moi, cela va arriver – on perd son tour. Comparez le nombre de roulés réussis. Le joueur qui a réussi le plus de roulés consécutifs gagne. Ne soyez pas étonné si votre enfant remporte la victoire. Les enfants ne connaissent pas la peur et sont moins susceptibles de crouler sous la pression.

- Une variante du jeu précédent consiste à éloigner la balle d'environ 15 cm sur la même ligne. Les règles restent les mêmes.

- Placez quatre balles en cercle autour de la coupe. Le but est de réussir chaque roulé, en comptant les roulés réussis pour savoir qui en a effectué le plus. Chaque joueur n'a qu'une chance de réussir chaque roulé. Aucun coup manqué ne peut être repris.

- Choisissez trois roulés de distances différentes. Le plus long peut avoir une distance de trois mètres, le deuxième, de deux mètres, et le troisième, d'un mètre. Le but consiste à faire rouler la balle le plus près possible de la coupe. Ce jeu permet d'enseigner le contrôle de la distance, plus important que le contrôle de la direction.

- Commencez le jeu par un roulé d'une distance de 30 cm. Si vous réussissez le roulé, replacez la balle 15 cm plus loin. Si vous ratez le roulé, replacez la balle 15 cm plus proche. Ce jeu qui prévoit une forme de sanctions pour chaque roulé raté enseigne la patience et la concentration.

---

1. *Practice green.*
2. *Cup.*

94

Tiger et moi avons pratiqué cet exercice pendant des heures et croyez-moi, cela nous a donné à chacun l'occasion tant de rire des erreurs de l'autre que d'admirer ses bons coups. Vous pouvez réussir quatre roulés consécutifs et vous retrouver à un mètre de la coupe, puis en rater quatre de suite et revenir à votre point de départ. Les enfants ont ainsi le loisir de constater que leurs parents ne sont pas infaillibles. Ce jeu permet aussi de frapper à répétition des roulés et d'apprendre à frapper des roulés sous pression.

Le roulé est un jeu de réussite. L'enfant doit apprendre à visualiser la balle qui entre dans la coupe. Plus il visualisera facilement, plus il lui sera facile d'effectuer des roulés. Ce jeu permet de se moquer gentiment de son adversaire tout en favorisant le sens de l'accomplissement. Tiger se faisait un plaisir de raconter à sa mère: «Maman, à la fin du jeu, j'étais à presque deux mètres du trou alors que papa était revenu à 30 cm». Sa fierté n'avait d'égale que sa hâte de m'affronter de nouveau à ce jeu.

- J'ai pour principe qu'il n'existe pas de verts nécessitant trois roulés, mais seulement des golfeurs qui ratent leur premier roulé. C'est ce que j'enseignai à Tiger au moyen d'un jeu destiné à améliorer son roulé défensif[1]. Le roulé défensif a pour fonction de faire rouler la balle le plus proche possible de la coupe. Quand je demandais à Tiger «À quoi sert le roulé défensif?», il répondait «À approcher la balle le plus possible de la coupe pour préparer mon deuxième roulé». Placez trois balles à 7 mètres de la coupe. Le but est de faire rouler la balle le plus près possible de la coupe, de sorte qu'un seul autre coup soit nécessaire pour caler la balle. Ce jeu enseigne l'importance de réussir un bon premier roulé.

- Il existe deux méthodes pour pratiquer les roulés. La première consiste à acquérir un élan constant, tandis que l'autre méthode permet de pratiquer les roulés

---

1. *Lag putting.*

Le jeu des quatre balles en cercle.

Il existe deux types de roulés: les roulés défensifs et les roulés agressifs. Voici un exemple de roulé défensif dont le but est de faire arriver la balle dans un rayon d'un mètre de la coupe.

agressifs[1]. Il existe une grande différence entre les deux méthodes. L'acquisition d'un élan constant vise à développer une technique solide et éprouvée sans se soucier de caler la balle ou de la mettre dans la coupe. La deuxième méthode, elle, vise à réussir des roulés en mettant en pratique la technique d'élan constant qu'on a acquise.

• Je vous propose l'exercice suivant. Placez une balle à un mètre de la coupe. Placez ensuite le fer droit derrière la balle, puis enfoncez un té à chaque extrémité du fer

---

1. *Make putt.*

droit. On appelle ce jeu l'exercice du té[1]. Le but consiste à faire passer le fer droit entre les deux tés afin d'acquérir un élan qui reste constant. Faites passer le fer droit entre les deux tés 25 fois. Ensuite, enlevez les tés et comptez combien de roulés consécutifs vous pouvez effectuer. La pression augmente de façon proportionnelle au nombre de roulés réussis et c'est ainsi que vous pourrez constater à quel point cette pression influe sur l'être humain. Vous pourrez également évaluer la constance de votre élan et le temps que vous pouvez le maintenir.

Un petit mot au sujet de la pression et de son effet sur la performance. Tiger et moi terminions parfois nos séances d'entraînement par un exercice axé sur la compétition. L'exercice consistait à placer une balle à un mètre de la coupe et à compter le nombre de roulés consécutifs que nous pouvions réussir. Cela semble facile, n'est-ce pas? Un roulé d'un mètre, c'est à la portée de tout le monde. Pourtant, croyez-moi, lorsque le nombre de roulés réussis augmente, la pression se fait de plus en plus forte. Quand Tiger commençait à frapper ses roulés, j'attendais qu'il en rate un pour avoir mon tour. J'attendais interminablement. Après 70 roulés réussis, j'étais encore là à attendre. Il était à ce point bon et j'étais si fier de lui.

Nous avions pris l'habitude de terminer nos séances d'entraînement par une visite au bar du club de golf auquel nous donnions familièrement le nom de 19e trou. Je disais: «Tiger, tu n'es pas raisonnable. J'en ai assez. Viens, on s'en va au 19e trou se désaltérer.» Tiger prenait toujours une boisson gazeuse aux cerises.

---

1. *Gap drill.*

L'exercice des deux tés.

7   *Les coups d'approche*

*Verbalisation, confiance, technique,
visualisation, compétition*

C'est son entraîneur, Jack Grout, qui enseigna à Jack
Nicklaus à frapper la balle aussi loin qu'il le pouvait
avec son bois n°1[1]. Mon approche est différente: je crois que
le golf s'enseigne d'abord sur le vert pour en arriver petit à
petit au tertre de départ; la priorité étant accordée au roulé.
C'est cette approche que j'utilisai avec Tiger. Lorsqu'il était
très jeune, je lui disais que le dernier bâton qu'il apprendrait
à maîtriser serait son bois n° 1. Le fait qu'il avait encore du
mal à l'utiliser avec précision lorsqu'il était adolescent me
donne raison.

Si les instructeurs de golf insistent autant sur les coups
d'approche, c'est tout simplement qu'on peut y économiser
des coups. Ce livre n'a pas pour objectif d'enseigner tous les
principes de l'approche roulée, de l'approche lobée et de
l'élan de golf; il vise plutôt à vous donner une connaissance
pratique qui vous permettra d'aider votre enfant durant les
premières étapes de son apprentissage. Je parlerai un peu
plus loin du moment de l'apprentissage où on peut commencer à recourir aux services d'un instructeur professionnel.

---

1.   *Driver:* club de départ en bois au golf, se dit aussi driver en français.

Laissez votre enfant tenir son bâton de la façon qu'il préfère. Après une période d'essai, on peut lui enseigner les principes de la posture et de l'équilibre. Il est important de montrer à chaque étape la bonne technique et de souligner les différences subtiles qui existent entre elles. En d'autres mots, l'apprentissage se fait progressivement: le roulé, l'approche roulée, l'approche lobée et l'élan complet.

Le coup d'approche roulé

L'approche roulée est la première tentative d'atteindre le vert lorsqu'on se trouve à une distance allant jusqu'à 20 verges. Toutefois, avant de débuter, vous devriez élaborer

D'abord et avant tout, frappez la balle avec puissance.

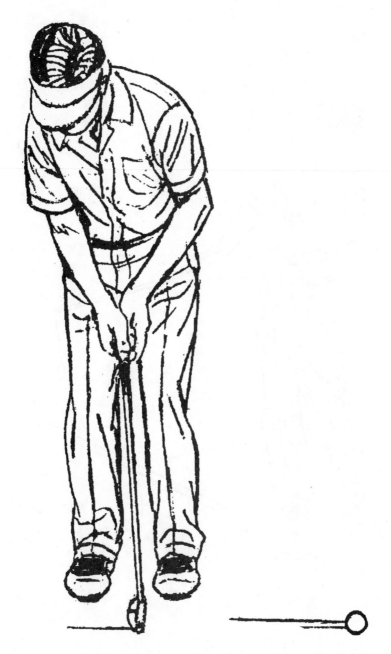

On apprend plus facilement à jouer au golf lorsque l'apprentissage se déroule à rebours, c'est-à-dire du vert vers le tertre de départ. En premier, vient le roulé.

105

Deuxièmement, l'approche roulée.

Troisièmement, l'approche lobée.

En dernier, et non le moindre, l'élan complet.

Saisissez le bâton au moins à la moitié de la poignée.

Une bonne position initiale pour l'approche roulée consiste à faire porter le poids sur la face interne du pied gauche.

une routine qui vous servira également pour l'élan complet. Tous les coups commencent derrière la balle. Vous devez regarder la balle, puis la cible, puis évaluer la distance à franchir, les différentes variables (dénivellation montante, descendante[1], sur le côté[2], etc.), les obstacles (fosses ou plans d'eau) et le type de sol (gazon long ou court, sol ferme[3] ou sol mou[4]). Après avoir évalué tous ces facteurs, approchez-vous de la balle soit par la gauche soit par la droite, faites un ou deux élans d'exercice pour bien « sentir » le bâton, mettez-vous en position initiale, puis frappez la balle en toute confiance. Si le coup à frapper est plus long, la routine sera plus complexe car elle devra tenir compte d'autres variables, mais nous en parlerons plus en détail plus loin.

---

1. *Downhill.*
2. *Sidehill.*
3. *Firm soil.*
4. *Soft soil.*

Vue de côté depuis la cible.   Vue de côté vers la cible.

Il est plus facile de visualiser un coup en se plaçant derrière la balle qu'en se plaçant de part et d'autre de la ligne d'alignement. Avec votre enfant, passez en revue la routine à effectuer et énumérez à haute voix les facteurs susceptibles d'influencer le coup à exécuter. Continuez à déterminer la trajectoire de la balle au moyen de la technique de visualisation. C'est seulement lorsque l'enfant a bien assimilé la routine qu'il peut passer à l'apprentissage de la technique de l'approche roulée proprement dite.

Une des principales différences entre le coup d'approche roulé et le roulé réside dans la position initiale. Dans le coup d'approche roulé, le poids du corps repose en grande partie sur la face interne du pied gauche et doit y rester tout au long de l'élan. Il faut également aligner le corps légèrement à gauche de la cible ou adopter une position ouverte[1], la face du bâton pointant vers la cible.

---

1.   *Open.*

L'approche roulée par étapes: c'est la longueur du coup qui détermine la hauteur de la montée, qui à son tour détermine le prolongement de l'élan. – (*Follow-through:* se dit aussi, fin du coup).

Le contact est sec et effectué avec un élan descendant. – *(Descending blow)*.

L'écart entre les pieds ne doit pas dépasser 90 cm. Règle générale, le coup est légèrement plus long que celui utilisé pour les roulés et s'effectue avec un effet légèrement descendant. Les poignets ne tournent pas; ils restent fermes pendant le prolongement de l'élan qui suit la frappe. La tête demeure dans une position passive (stable, mais sans raideur) et l'on doit se concentrer sur le contact entre la balle et le bâton. On frappe la balle d'un coup descendant sec et court, suivi d'un prolongement de l'élan bref et de peu d'extension.

Les genoux fléchissent légèrement vers la gauche à l'impact.

Tout au long du coup, le poids du corps doit demeurer sur la face interne du pied gauche. Pendant le prolongement de l'élan, la tête effectuera automatiquement une rotation et suivra la trajectoire de la balle jusqu'à la coupe. Les parents doivent insister sur l'importance de regarder le bâton frapper la balle, car cela favorise un contact franc et solide avec la balle et élimine les problèmes occasionnés par les mouvements corporels excessifs.

Rappelez-vous qu'il faut:

- commencer par se placer derrière la balle;
- déterminer et énumérer à voix haute les variables;
- faire porter le poids du corps sur la jambe gauche;
- regarder la balle, puis la cible, tout comme pour les roulés;
- frapper la balle en fonction de l'image mentale que l'on se fait de la cible, en s'assurant de regarder le bâton frapper la balle avant de bouger la tête.

Le coup d'approche lobé

On utilise le coup d'approche lobé quand on se trouve à une distance se situant entre 20 et 100 verges du vert, selon la taille et la force du golfeur. Les principes sont les mêmes que pour le coup d'approche roulé: commencer par se placer derrière la balle, tenir compte de tous les facteurs, frapper la balle en fonction de l'image mentale et regarder le bâton frapper la balle. Considérez l'approche lobée comme une approche roulée qui nécessite un élan plus long à cause de la plus grande distance à franchir.

Il existe cependant une différence fondamentale: contrairement à l'approche roulée où le poids repose surtout sur le pied gauche (pour les golfeurs droitiers), l'approche lobée exige que le poids soit réparti également sur les deux pieds. L'écart entre les pieds doit être confortable, tandis que la position du corps est légèrement ouverte vers la cible. On doit remonter le bâton lentement et en douceur pendant que le poids du corps se déplace vers le pied droit (pour les golfeurs droitiers). Pour la descente[1], le poids passe au côté gauche pendant que le bâton descend et frappe la balle en direction de la cible. Le prolongement de l'élan est légèrement plus long.

Dans l'approche lobée, on doit tenir compte de quelques facteurs supplémentaires tels que la force du vent, le terrain et la position de la balle (la façon dont la balle repose

---

1. *Downswing.*

115

Pour l'approche lobée, les pieds sont légèrement plus écartés que pour l'approche roulée.

Puisque la montée est plus longue, on laisse le poids du corps se déplacer vers la face interne du pied droit.

Au contact de la balle, le poids passe au côté gauche.

On étend les mains en direction de la cible.

Le coup allongé est haut.

sur le gazon). Il n'est pas nécessaire de modifier l'élan pour aider la balle à s'élever dans les airs. On entend souvent dire qu'il faut frapper la balle vers le bas pour qu'elle aille vers le haut. N'essayez jamais de frapper la balle par en-dessous, ni de la soulever pour l'aider à s'élever.

Les parents doivent passer en revue la routine pour les approches lobées, tout comme ils le font pour les roulés et les approches roulées. Ils doivent également expliquer verbalement chacune des étapes. L'enfant peut ainsi se servir tout autant de ses yeux que de ses oreilles pour assimiler l'information. Insistez sur le fait que l'élan doit être effectué lentement et doucement pour que l'enfant sente l'effet d'un coup puissant produit sans effort physique. Il comprendra alors qu'il n'existe aucun lien entre la distance et la force de la frappe. Il est étonnant de constater la grande distance qu'une balle peut franchir lorsqu'elle est frappée d'un coup sec et net, même par un enfant.

Rappelez-vous qu'il faut:

- appliquer les mêmes principes que pour l'approche roulée;
- répartir son poids également sur la face interne de chaque pied;
- laisser son poids se déplacer vers le côté droit, puis vers le côté gauche (pour les droitiers).

Voici quelques jeux d'approches roulées et d'approches lobées qui mettront à l'épreuve les habiletés de votre enfant.

- Sur un vert d'exercice, tracez autour de la coupe un cercle d'un mètre de diamètre. Le but est de faire rouler la balle à l'intérieur du cercle. Vous pouvez augmenter le degré de difficulté du jeu en effectuant l'approche roulée d'un point surélevé ou d'un point situé plus bas par rapport à la coupe. Vous pouvez aussi faire varier la distance que la balle franchira avant d'atterrir sur le vert.

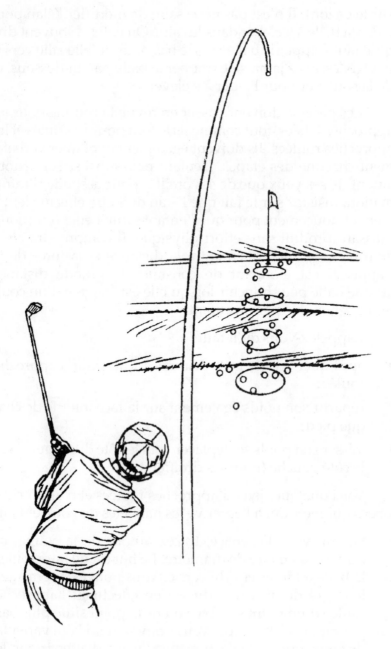

Les jeux compétitifs sont très stimulants et plaisants pour apprendre. Il faut pratiquer, pratiquer, pratiquer.

Par exemple, pratiquez l'approche roulée en passant par-dessus une fosse. L'enfant apprendra ainsi à choisir le bâton qui lui permettra de frapper la balle suffisamment loin pour qu'elle passe au-dessus de l'obstacle jusqu'au vert, puis qu'elle roule jusque dans le cercle entourant la coupe.

Au lieu d'utiliser un cocheur de sable qui propulse très haut la balle et la fait atterrir en douceur, vous pouvez opter pour un bâton qui donnera une trajectoire plus basse à la balle. Cette façon de frapper des approches roulées est préférable, car il est plus facile de contrôler la distance lorsque la balle passe plus de temps sur le sol que dans les airs.

Il est primordial que l'enfant comprenne l'importance de visualiser l'endroit où il souhaite que sa balle atterrisse. Pour l'aider, on peut utiliser un petit seau. Placez le seau à la distance voulue. Demandez ensuite à l'enfant d'essayer de faire atterrir la balle dans le seau. Comptez le nombre de fois que l'enfant réussit à envoyer sa balle dans le seau. Vous seriez étonné de voir à quel point le pourcentage de réussite augmente avec l'entraînement. Ce jeu aide à visualiser et à contrôler la distance, tout en augmentant l'assurance de votre enfant sur le vert.

- Comme les terrains d'exercices ne sont pas accessibles à tous, il faut parfois se contenter de ce dont on dispose pour s'entraîner. Un peu d'imagination ne nuit pas. Vous pouvez transformer en outils pédagogiques les divers objets qui se trouvent dans votre cour. Par exemple, remplissez aux deux tiers une chambre à air avec de l'eau, puis placez-la à environ 9 mètres de l'enfant et demandez-lui de frapper une approche roulée. Je suggère d'utiliser un tapis en gazon synthétique pour protéger votre pelouse. Le but consiste à frapper la balle dans la chambre à air. Ce jeu est plus difficile qu'on croit, car la balle doit atterrir dans la chambre à air avec l'angle approprié, sinon elle ressortira. Ce jeu enseigne également le contrôle de la distance et de la trajectoire.

Les parents contribuent, par la pratique et en imaginant des jeux, à développer les habiletés des enfants pour les coups d'approche.

- Déterminez trois ou quatre cibles, chacune à une distance différente de votre enfant. Plutôt que de faire pratiquer plusieurs coups à la fois en augmentant peu à peu la distance (plusieurs courtes distances, puis plusieurs distances moyennes, puis plusieurs longues distances), faites-le s'exercer sur une distance différente à chaque coup (une courte distance, une longue distance, une distance moyenne, etc.). De cette façon, chaque coup exige de se concentrer sur la distance.

Lors de son tout premier tournoi de golf que j'évoquais un peu plus haut, Tiger fut capable de frapper la balle à une distance de 80 verges avec son bois n° 3. De plus, il pouvait réussir avec précision une approche roulée sur une distance de 30 à 40 verges. Comme il avait seulement deux ans, la nouvelle de ses exploits se répandit comme une traînée de poudre dans tout le sud de la Californie. C'est Jim Hill, un reporter de la station KCBS affiliée à CBS, qui réalisa le premier reportage sur Tiger. En compagnie de son cameraman, Jim Hill suivit Tiger pendant qu'il jouait le premier trou, une normale 4 de 405 verges, du club de golf de la marine américaine. J'avais calculé une normale 7 pour Tiger, car j'estimais qu'il aurait besoin de cinq coups pour atteindre le vert et de deux roulés pour entrer la balle dans la coupe. Mes calculs étaient exacts. Il atteignit le vert en cinq coups, puis il cala un roulé de 25 pieds pour un oiselet.

Le cameraman avait placé sa caméra derrière le trou et, en reporter digne de ce nom, Jim Hill dit: «Allez, Tiger, cale ce roulé». Toutefois, le roulé ne parcourut que la moitié de la distance jusqu'à la coupe, puis s'arrêta. J'étais très surpris, car je savais que Tiger avait visualisé son roulé et qu'il était meilleur que ce qu'il venait de montrer. Jim Hill demanda à Tiger de faire un autre essai. Le résultat fut le même. Cette fois, j'étais persuadé que quelque chose n'allait pas. Je demandai alors au cameraman de se déplacer un peu sur le côté. Tiger tenta le roulé une troisième fois. Cette fois, la balle roula magnifiquement, droit sur la cible, puis s'arrêta à quelques centimètres de la coupe. Tiger avait eu peur d'abîmer la caméra.

8 L'élan complet

*Déploiement de l'esprit, analyse/paralysie,
patience, compréhension*

L'élan complet est tout simplement une approche lobée dont l'arc est prononcé. Les mêmes principes s'appliquent: prise du bâton au choix du golfeur; pieds écartés de façon à être à l'aise; et nécessité d'allonger l'élan pour envoyer la balle plus loin. Insistez encore sur l'importance d'effectuer une montée lente et d'observer le contact entre le bâton et la balle. Il est inutile de compliquer davantage les choses. Comparez l'élan à une porte qui s'ouvre et qui se ferme. On ouvre la porte pendant la montée, puis on la referme pendant la descente. Si on veut frapper la balle avec plus de force, on ouvre la porte, puis on la fait claquer. Avec cette image, l'enfant peut visualiser concrètement l'élan de golf.

Une autre façon de présenter l'élan se résume en deux mots: «Se tourner et se retourner». On réduit ainsi l'élan complet à sa plus simple expression. Vous vous tournez en vous éloignant de la balle, puis vous vous retournez en vous en approchant. Grâce à ces images, l'enfant peut visualiser la mécanique de l'élan complet sans se trouver enseveli sous une foule de détails techniques. Vous avez probablement entendu parler de la «paralysie par l'analyse», qui se produit lorsque le cerveau est submergé par la complexité de

Voici l'élan de golf réduit à sa plus simple expression. On ouvre la porte, puis on ferme la porte. L'élan de golf s'amorce lorsque le haut du corps pivote en s'éloignant de la balle. C'est cette rotation qui revient ensuite vers l'avant et qui donne à la frappe sa puissance et sa direction. On se tourne et on se retourne.

l'élan de golf et qui, par conséquent, entrave la performance. Notre esprit conscient contrôle habituellement nos gestes, mais il est trop lent pour diriger l'élan de golf. C'est en réalité l'inconscient qui commande l'élan.

On peut faire une analogie entre l'élan de golf et l'apprentissage de la conduite automobile, en particulier si on apprend à conduire une voiture munie d'une transmission manuelle. Au commencement, nos réactions sont très lentes et mécaniques. La séquence des gestes ressemble à ceci: appuyer sur l'embrayage, changer de vitesse, lâcher l'embrayage, appuyer sur l'accélérateur. Sans compter qu'en même temps, il faut conduire la voiture. C'est difficile. Avec les années, toutefois, la conduite manuelle devient une série de gestes naturels qu'on pose sans réfléchir.

C'est la même chose pour l'élan de golf. Les problèmes commencent lorsque l'esprit conscient entre en fonction

Tous les coups commencent derrière la balle. Déterminez un point devant la balle avec lequel vous alignerez la face du bâton.

Alignez la face du bâton avec le point choisi.

Après avoir aligné votre corps avec la face du bâton, tournez la tête pour vérifier si l'orientation et l'alignement sont corrects. Faites balancer le bâton.

Votre orientation, votre alignement et votre position initiale sont maintenant corrects; vous êtes prêt à frapper la balle avec puissance et précision.

pendant l'élan. En fait, il devrait être utilisé seulement pour l'exécution de la routine et pour l'analyse des facteurs d'influence: le vent, l'élévation, la position de la balle, et ainsi de suite. Il existe un moyen de faire travailler l'esprit conscient et inconscient en harmonie. C'est toutefois plus facile à dire qu'à faire. C'est pourquoi je suggère fortement d'adopter une approche simple en ce qui concerne l'élan complet. Lorsqu'on ne surcharge pas l'esprit conscient de détails innombrables, l'esprit inconscient ou le subconscient peut alors jouer son rôle et guider vos instincts.

N'oubliez pas que l'élan s'acquiert en commençant par le vert, puis en remontant jusqu'au tertre de départ. Avec un entraînement approprié, de la pratique et de la détermination, votre enfant maîtrisera 95% de l'élan de golf et ce, avant même de faire un élan complet. C'est la situation idéale. Malheureusement, votre enfant s'élancera bien avant. Que faire alors pour l'empêcher de prendre de mauvaises habitudes? Encouragez-le à pratiquer les approches: l'approche roulée et l'approche lobée. Vous devrez faire preuve d'énormément de patience et de compréhension, car l'instinct naturel porte à frapper la balle aussi fort et aussi loin que possible.

Tiger emprunta un chemin différent pour en arriver à l'élan complet. Lorsqu'il m'observait frapper des balles dans un filet, assis dans sa chaise haute que j'avais installée dans le garage, il assimilait la façon d'exécuter un élan complet. C'était comme un film qu'il revoyait encore et encore. Le résultat: Tiger apprit l'élan complet avant les approches et les roulés. En fait, un jour, quand il avait seulement dix mois, je fis une pause durant mon entraînement et en profitai pour le descendre de sa chaise haute. Il se dirigea en trottinant vers son petit fer droit, s'installa dans mon aire de pratique, choisit une balle, prit la position initiale, et frappa la balle dans le filet. Je faillis tomber en bas de ma chaise! Je courus dans la maison chercher sa mère.

Une fois de retour dans le garage, Tiger avait calmement choisi une autre balle et cherchait à imiter de nouveau

L'élan complet commence par une bonne position initiale et un alignement adéquat. Faites balancer le bâton pour chasser la tension.

Pendant la montée, lorsque le bâton se trouve parallèle au sol, la pointe du bâton doit être en position verticale.

À la fin de la montée, le bâton est parallèle au sol et pointe vers la gauche de la ligne d'alignement.

Pendant la descente, le poids du corps se déplace sur le côté droit, tandis que le bras gauche demeure droit.

Le poids du corps est maintenant sur le côté droit; les mains font une rotation afin de permettre à la face du bâton d'être perpendiculaire au sol.

Les mains font une rotation naturelle.

Les deux bras respectent l'arc de l'élan après l'impact.

Le prolongement de l'élan est haut.

Le corps est en parfait équilibre.

On termine en pointant le ventre vers la cible. «Bon élan!»

son père, sauf qu'il le faisait à la façon d'un gaucher. Il lui fallut deux semaines pour comprendre que papa ne frappait pas la balle de ce côté, mais de l'autre. Toujours est-il qu'un jour, en plein milieu de son élan, il s'arrêta brusquement, se plaça de l'autre côté, prit son bâton comme un droitier, et frappa la balle comme si de rien n'était. Je compris alors que Tiger était hors du commun, car je ne lui avais jamais demandé de changer sa prise de la gauche vers la droite. C'était un geste digne d'un athlète naturel.

L'élan de Tiger ne cessa de se développer sous l'œil vigilant de ses instructeurs professionnels. Votre enfant peut également suivre le même processus d'apprentissage.

Rappelez-vous:

- L'élan complet n'est qu'un prolongement de l'approche lobée.
- Il faut que ça reste simple.
- Ouvrir la porte, fermer la porte.
- Se tourner, se retourner.

Chacune des photos suivantes présente une étape de l'élan que vous pouvez utiliser pour corriger l'élan de votre enfant.

Partie 3

Les éléments essentiels pour jouer au golf

9 L'entraînement

*Plaisir, désir, imagination,
renforcement, assiduité*

L a maîtrise du golf est proportionnelle à l'effort qu'on lui consacre. Il n'y pas de raccourcis. L'enseignement des principes du golf à un enfant n'est que le début d'un long cheminement vers la réussite, un parcours dont le bon déroulement exige de l'entraînement. Le regretté Harvey Penick, un des plus grands instructeurs de golf, écrivait: «L'entraînement est une question personnelle... C'est à l'enfant de décider s'il veut jouer ou s'entraîner.» Je partage entièrement ces propos.

Toutefois, je crois que seul l'entraînement permettra à votre enfant d'atteindre sa pleine mesure au golf. L'entraînement devrait être amusant, intéressant et varié, certes, mais il devrait surtout être axé sur la compétition. Le désir de s'entraîner doit venir de l'enfant. S'il y a une chose dont je suis fier, c'est de n'avoir jamais demandé ou dit à Tiger de s'entraîner. Jamais. La motivation doit venir de soi-même. L'instillation de la motivation se fait par le respect et l'amour du golf que vous transmettez à votre enfant.

Il y a s'entraîner et bien s'entraîner. Chaque séance d'entraînement doit avoir un but. On ne se présente pas sur un parcours de golf pour aller sur le champ de pratique et se mettre à frapper des balles à l'aveuglette. Une séance d'entraînement doit se dérouler dans un certain ordre. Par exemple, on peut en préparer une en disposant trois bâtons sur le sol : on place le premier bâton devant soi, juste de l'autre côté de la balle, et pointant vers la cible ; on couche le deuxième bâton en avant des orteils, parallèle avec la ligne d'alignement ; puis, on dépose le troisième bâton entre les pieds à un angle de 90° par rapport à la ligne d'alignement et aux deux autres bâtons (voir illustrations aux pages suivantes).

Grâce à cette disposition des bâtons, l'enfant prend conscience de l'alignement et de la direction. Le premier bâton, celui qui pointe vers la cible, assure l'alignement adéquat du corps et des épaules à gauche de la cible. Le deuxième bâton, placé devant les orteils et parallèle à la ligne d'alignement, aide à bien orienter la face du bâton qu'on tient dans ses mains – qui doit pointer vers la cible – et à bien orienter le corps, qui doit pointer à gauche de la cible. Enfin, le bâton déposé entre les pieds assure la position de la balle par rapport à l'écartement des pieds.

Bien entendu, l'enfant comprendra rapidement que les fers courts s'alignent en plein sur la cible quand on joue la balle près du pied droit, tandis que les fers longs et les bois ont naturellement tendance à se rapprocher du pied gauche. Vous démontrez ainsi que chaque bâton, par sa conception unique, commande qu'on place la balle différemment en position initiale.

Je sais que certains prétendent que la balle se place de la même façon quel que soit le bâton. À mon avis, ce n'est pas naturel, car cela exige alors une trop forte impulsion des jambes pour frapper solidement la balle. La méthode que j'utilise est naturelle et instinctive ; votre enfant peut donc facilement l'assimiler.

Comme Tiger me téléphonait souvent au travail pour me demander de s'entraîner, je l'emmenais sur le parcours de golf presque chaque jour. Il préparait son aire de travail et commençait à frapper des balles. Je lui posais alors toujours la même question : «Quelle est ta cible ?

Voici une aire de travail typique sur le terrain d'exercice.

Les parents peuvent aider l'enfant en vérifiant son alignement et sa cible, sans oublier sa position initiale qui doit être solide et adéquate!

– Le palmier qui se trouve au bout du terrain d'exercice», répondait-il.

Je lui demandais: «Quel palmier?

– Le troisième à partir de la gauche», répondait-il. Tiger faisait ce qu'il fallait. À chaque balle frappée doit correspondre une cible, sinon vous gaspillez votre énergie. Ne frappez jamais une balle sans viser une cible. Pourquoi? Parce que dans cette approche naturelle du golf, le corps humain doit toujours pouvoir se concentrer sur une cible. Et plus la cible est précise, mieux c'est.

Ne supervisez pas votre enfant outre mesure. Laissez-le jouer. Laissez son imagination prendre le dessus. Je suggère de toujours placer la balle sur un té. Cela aide votre enfant à frapper la balle solidement et, par le fait même, lui donne de l'assurance et agrémente l'entraînement. Le parent doit intervenir le moins possible. Préparez votre propre aire de travail et entraînez-vous en même temps.

Si un aspect de l'entraînement de l'enfant requiert votre aide, n'hésitez toutefois pas à faire des suggestions. Évitez de critiquer. Ne faites jamais de commentaires négatifs. Le renforcement positif est beaucoup plus efficace. Exemple: «Je crois que tu frapperais mieux la balle si tu la jouais un peu plus vers ton pied droit.» Suggérez sans dicter. Votre enfant et vous devez avant tout avoir du plaisir. On peut apprendre l'élan de golf tout en s'amusant. Et pour maintenir l'intérêt, stimulez l'esprit de compétition. «Quelle est ta cible?

– Le panneau là-bas qui indique 50 verges.

– Je te parie que je peux me rapprocher plus vite de ce panneau que toi.

– D'accord, dix balles.»

Celui qui frappe le plus grand nombre de balles près du panneau remporte la victoire. C'est de la compétition à son état le plus pur. La seule récompense, c'est la satisfaction

La cible doit être la plus précise possible. Par exemple, ici, un des trois drapeaux. Pendant l'entraînement, chaque élan doit avoir une cible. On doit également utiliser une aire de travail à chaque entraînement, afin de renforcer l'alignement et la position de la balle.

d'avoir gagné. N'encouragez pas votre enfant à faire de vrais paris. La compétition suffit amplement.

Vous pouvez varier les cibles et le jeu: trois balles, cinq balles, et ainsi de suite. Laissez-vous guider par votre imagination. Comme parent, votre rôle consiste à renforcer les éléments suivants:

- l'alignement;
- l'élan;
- le choix d'une cible à chaque coup;
- le plaisir;
- l'esprit de compétition.

Au fur et à mesure que l'enfant grandit et acquiert de l'adresse, vous devriez l'encourager à «travailler» la balle, c'est-à-dire à la frapper délibérément de droite à gauche ou de gauche à droite, à la frapper haut, bas ou contre le vent. On fait ainsi appel à des habiletés variées pour atteindre une même cible par des moyens et des directions différentes. C'est la première étape à franchir pour former un excellent golfeur, capable de contrôler l'envol et la direction de la balle à volonté.

Lorsque Tiger était petit, mon fer n° 1 le fascinait et il essayait sans cesse de s'élancer avec. Toutefois, à cause de sa

On peut s'installer une aire de travail dans une fosse pour pratiquer son jeu dans le sable. Voici la technique appropriée: pieds ouverts devant la ligne d'alignement, poids sur le côté gauche, bras tendus, bâton posé angle ouvert, tête immobile.

Après une montée lente, visez de façon à ce que la face du bâton pénètre dans le sable de sept à dix centimètres derrière la balle. N'essayez pas «d'aider» la balle à s'envoler. C'est le sable qui le fera.

Le prolongement de l'élan est proportionnel à l'arc de la montée et à la distance à franchir.

Il faut garder son équilibre.

longueur et de son angle d'ouverture, il pouvait seulement le traîner par terre. Ce bâton était plus grand que lui. Un jour, il me dit: «Papa, plus tard, je frapperai avec ce bâton.» À cela je répondis: «Mon fils, tu seras un jour parmi les meilleurs au fer long. Le fer n° 1 est ton ami et le restera pour toujours.»

Quelques années plus tard, lorsque je commençai à jouer avec lui à frapper la balle en la travaillant de droite à gauche, il devint capable de frapper avec le fer n° 1. Lorsqu'il visait la clôture se trouvant au fond du terrain d'exercice, il frappait la balle qui passait alors au-dessus de la clôture séparant le terrain d'exercice du parcours de golf, effectuait un virage de la droite vers la gauche, repassait au-dessus de la clôture et venait atterrir au beau milieu du terrain d'exercice. Il appelait ce coup son «crochet délibéré», et il l'utilisa lors des championnats amateurs des États-Unis en 1994.

Au grand désespoir de ses adversaires, il frappa la balle basse avec son crochet délibéré, laquelle traversa les arbres, atterrit dans l'allée et roula jusqu'au vert. C'est sur le terrain d'exercice qu'on prépare les champions. Pratiquez, pratiquez, pratiquez. Croyez-moi, lorsque vous quitterez le terrain d'exercice après un entraînement, tenant la main de votre enfant et argumentant pour déterminer qui a réussi le plus de coups, vous éprouverez une merveilleuse sensation.

Voici d'autres façons d'aider votre enfant à pratiquer et à améliorer son élan.

Tenez le bâton légèrement et aidez à effectuer une amorce de montée «complète».

En tenant le bâton en même temps que votre enfant, vous vous assurez que l'amorce de la montée suit la bonne trajectoire. Notez que les mains n'ont pas encore bougé.

Aidez votre enfant à adopter une bonne position au sommet de la montée. Le bâton devrait être parallèle à la ligne d'alignement et au sol (lors d'un élan complet effectué avec le bois n° 1). Répétez le mouvement jusqu'à ce que l'enfant ait bien assimilé la position.

Lorsque la montée est à son point le plus haut, le bâton est parallèle à la ligne d'alignement et au sol. Notez que l'ombre du manche est verticale, ce qui indique que le bâton est bien parallèle à la ligne de visée et au sol.

 **10** # *Jouer avec intelligence*

*Gestion de parcours, force de caractère,
possibilités, communication, entraînement,
amour parental et fermeté*

Quand Tiger avait deux ans, je m'étais promis de contribuer de deux façons à sa technique de golf: la gestion du parcours et la force de caractère, lesquelles me venaient de mon éducation et de mon passage au sein des bérets verts.

Que signifie la gestion du parcours? En résumé, c'est la façon dont vous gérez et menez une partie sur un terrain de golf. Frappe-t-on la balle aussitôt qu'on est en position? Ou prend-on le temps de réfléchir, de regarder autour de soi et de déterminer s'il y a des facteurs susceptibles d'influer sur son coup, tels le vent, la position de la balle, la cible, et l'épaisseur du gazon? La prise en compte de tous ces facteurs est une évaluation qu'on effectue avant même de choisir son bâton.

Voici comment j'ai initié Tiger à la gestion de parcours. Un jour, alors que Tiger était âgé de deux ans, nous nous trouvions au deuxième trou du club de golf de la marine américaine. Sa balle était tombée dans les arbres situés à droite d'une courte normale-4. «Qu'est-ce que tu vas faire, Tiger?» Il me regarda et dit: «Je ne peux pas frapper la balle au-dessus des arbres, papa. Ils sont trop hauts.»

– Que tu peux faire alors?», demandai-je.

– Je peux frapper la balle entre les arbres, mais elle devra rester basse car il y a une grande fosse de sable.

– Y a-t-il autre chose?»

Il jeta un coup d'œil à sa gauche et dit: «Je peux envoyer ma balle en direction de l'allée, frapper ensuite un coup vers le vert, puis frapper un seul roulé pour réussir la normale.»

Je dis: «Mon gars, c'est ça, la gestion de parcours.» Il avait déterminé et évalué ses possibilités et choisi celle qui avait le plus de chances de réussir.

Comme vous pouvez le constater, pas besoin d'être un génie. Il suffit de faire preuve de bon sens, de donner le maximum et de choisir, pour chaque coup, la meilleure possibilité après avoir évalué les facteurs d'influence.

Un élément important de la gestion de parcours consiste à planifier ce que vous allez faire à chaque trou. C'est le plan de match. Lors des tournois, Tiger et moi profitions des tournées d'exercice pour élaborer, chacun de notre côté, un plan d'attaque pour chaque trou. Dans ce plan, nous déterminions le degré de difficulté du trou, le bâton à utiliser sur le tertre de départ, l'endroit où la balle devait atterrir, ainsi que les autres facteurs qui se présentaient.

À la fin de la tournée d'exercice, nous échangions nos notes pour les comparer. Par exemple, pour le premier trou – une normale 4 de 420 verges – mon plan de match pouvait consister à faire un coup de départ en direction du côté droit de l'allée en faisant un léger crochet de gauche[1] pour éviter la fosse située à gauche. De plus, cela donnait à la balle une bonne position pour approcher le vert par le côté droit, car il y avait à gauche une énorme fosse. Quant à Tiger, son plan pouvait prévoir l'utilisation d'un bois n° 3 pour frapper la balle vers le côté droit, puis d'un fer court ou moyen[2]. Après

---

1. *Draw.*
2. *Medium iron* et *short iron.*

discussion, il adoptait un des deux plans ou alors un mélange des deux dont nous convenions ensemble.

La gestion de parcours dicte certains choix. Par exemple, si le vent souffle dans votre dos, vous devrez probablement utiliser un fer n° 3. Par contre, si vous faites face au vent, vous aurez besoin d'un fer n° 1, ce qui influencera aussi votre deuxième coup. Toutefois, le principe demeure le même: planifiez comment vous jouerez un trou avant même d'y arriver. C'est cela qui importe. Au lieu d'avoir à prendre toutes les décisions concernant un trou lorsque vous vous présentez sur le tertre de départ, vous n'avez qu'à apporter de légers correctifs. Un plan s'impose pour tous les trous, y compris les normales 3.

Cependant, un plan de match ne sert à rien si vous ne le respectez pas.

À l'été de ses douze ans, Tiger participa à un championnat de partie par trous[1] (le Southern California Junior Golf Association Match Play Championship). Pendant que je le suivais, je notai qu'il était deux coups sous la normale grâce aux deux oiselets qu'il avait réussis aux quatre premiers trous. Au cinquième trou, son adversaire, qui avait remporté le trou précédent, prit son bois n° 1 pour frapper son coup. La balle atterrit dans le bois situé à gauche de l'allée.

Tiger prit alors son bois n° 1 et frappa rapidement sa balle, qui se retrouva cette fois dans le bois situé à droite. Je me demandai: «Qu'est-ce qui lui prend?». À la fin de la partie, que Tiger avait remportée, je lui demandai: «Pourquoi as-tu utilisé ton bois n° 1 au cinquième trou, alors que ton adversaire avait envoyé sa balle dans le bois?»

Il répondit: «J'étais deux coups sous la normale, et je voulais me rendre à trois coups.»

Je répliquai: «Mon fils, ce n'est pas ainsi qu'on joue une partie par trous.»

---

1. *Match play.*

Dans son infinie sagesse, il me regarda droit dans les yeux et me dit, en toute innocence: «Mais papa, tu ne m'as pas enseigné comment jouer une partie par trous.»

Et il avait raison. Je lui dis alors: «Mon garçon, je vais t'inscrire dès l'automne à l'école de perfectionnement Woods.»

Il répondit: «Parfait.» Il ne savait pas ce qu'il l'attendait.

J'avais pour objectif de soumettre Tiger à un entraînement rigoureux qui mettrait à l'épreuve sa force de caractère. Toutefois, avant de commencer, il m'apparut nécessaire d'élaborer quelques règles de base. Elles étaient les suivantes: premièrement, s'il voulait à un moment ou à un autre mettre fin à l'entraînement, il n'avait qu'à dire le mot de passe convenu et l'entraînement serait terminé; deuxièmement, il n'y avait aucune autre règle – tout était permis et il ne pourrait jamais protester.

La gestion de parcours consiste à planifier sa partie. Planifiez avant de passer à l'action.

176

Ce type d'entraînement ne convient pas à tous les enfants. Vous devez connaître l'état d'esprit de votre enfant ainsi que son degré de tolérance. Un entraînement semblable à celui auquel j'ai soumis Tiger peut aller à l'encontre du but recherché et même éloigner votre enfant du golf. Par conséquent, je ne le recommande pas à tous les parents. Tiger et moi avons développé au fil des ans une relation solide fondée sur la confiance et le respect mutuels. Sinon, je n'aurais pas pu lui imposer un tel entraînement.

Je savais à quoi m'attendre avec Tiger. Je le connaissais et je savais quel était son seuil de tolérance. Semaine après semaine, je déployai donc tous les trucs les plus salauds, les plus méchants, les plus bruyants et les plus odieux que je pouvais trouver pour le déranger. J'échappais délibérément un gros sac de bâtons juste au moment où il frappait la balle. J'imitais le cri du corbeau pendant qu'il calait un roulé.

Au moment où il s'apprêtait à frapper une balle, je lançais une balle devant lui en m'assurant qu'elle traverse son champ de vision. Ou alors je me plaçais dans son champ de vision et je me mettais à bouger au moment même où il exécutait son coup. Je toussais fort pendant sa montée. Ou encore je lui disais: «Ne la frappe surtout pas dans l'eau.» Voilà le genre de tours *agréables* que je lui jouais. En d'autres mots, je jouais avec son esprit, en sachant très bien qu'il n'avait pas le droit de dire un seul mot.

Parfois, il était tellement fâché qu'il arrêtait net sa descente à quelques centimètres de la balle, se tournait vers moi et me lançait un regard noir parce que je venais d'échapper délibérément un sac de bâtons sur le sol. Il serrait les dents et roulait les yeux, mais la seule réponse qu'il obtenait était la suivante: «Arrête de me regarder. Tu vas la frapper cette balle, oui ou non?»

J'enseignai à Tiger tous les tours pendables qu'un adversaire pourrait utiliser contre lui dans une partie par trous, et j'en ajoutai quelques-uns de mon cru. J'allai même – j'ai honte de l'avouer – jusqu'à tricher, uniquement pour le provoquer. Car, soyons réalistes, je savais que tôt ou tard quelqu'un essaierait de tricher à ses dépens. Comment triche-t-on au golf? Par exemple, après un roulé, je marquais ma balle de la main droite, mais je posais la pièce de monnaie de la main gauche, une cinquantaine de centimètres plus près de la coupe. Tiger savait que je trichais, mais, rappelez-vous, il ne pouvait rien dire. Il n'en n'avait pas le droit.

Pendant ce «cours de perfectionnement», Tiger dut subir tous les pièges les plus retors, les plus diaboliques et les plus insidieux que ses futurs adversaires ne manqueraient pas de lui tendre. Mais jamais il ne prononça le mot de passe. Il me raconta par la suite que ce fut l'expérience la plus difficile de toute sa vie et qu'à certains moments, il était tellement en colère qu'il aurait détruit ses bâtons. Il n'aurait souhaité à personne pareil traitement, mais jamais il n'oublia que c'était pour son bien. Je dois admettre que ce fut également difficile pour moi et que certains de mes gestes ne me comblèrent ni de joie ni de fierté.

Toutefois, Tiger apprit beaucoup. Il développa sa force de caractère. Plus tard, je lui assurai que jamais il ne rencontrerait un adversaire capable de le battre sur ce plan. Ses victoires le prouvent: un championnat de partie par trous de la United States Golf Association, trois titres consécutifs de la USGA Junior, trois championnats amateurs des États-Unis consécutifs. Il remporta des victoires au 18e trou et au premier trou supplémentaire. Il combla des écarts de six trous pour coiffer ses adversaires au fil d'arrivée. Tous ces exploits sont le fruit de sa force de caractère.

11 L'étiquette, les coutumes, les traditions, les règles et les règlements

Convenances et inconvenances, intégrité, savoir, conformité, observance, honnêteté

Chaque sport possède des règles d'étiquette non écrites qui définissent de façon informelle les convenances et les inconvenances en matière de conduite. Par exemple, au basket-ball, on accepte que des spectateurs essaient par tous les moyens de déconcentrer les joueurs de l'équipe adverse qui tentent un lancer franc. Par contre, au golf, un tel comportement ne serait pas toléré. Pour vous aider à enseigner à votre enfant comment se comporter correctement sur un parcours de golf et éviter les situations embarrassantes, voici quelque règles au sujet de l'étiquette.

- Ne courez jamais sur le vert.
- Ne marchez jamais sur la ligne reliant directement un golfeur au trou.
- Ne faites pas de bruit ou de mouvement qui pourrait déranger un joueur pendant qu'il exécute un coup.

- Soyez toujours prêt à jouer votre coup lorsque votre tour arrive.

- Ne vous placez jamais dans le champ de vision d'un golfeur qui est en train de préparer ou d'exécuter son coup.

- Sur le vert, réparez les marques laissées par votre balle. Laissez toujours le parcours dans un meilleur état que vous ne l'avez trouvé.

- Identifiez votre balle d'une marque distinctive.

- Évitez de jouer trop lentement. Suivez de près le groupe qui vous précède, plutôt que de traîner devant le groupe qui vous suit.

- N'oubliez jamais de serrer la main de votre adversaire ou de votre compagnon de jeu à la fin d'une partie de golf.

- Criez toujours «Fore![1]» si votre coup risque de blesser quelqu'un.

- Si vous entendez «Fore!», protégez-vous la tête; ne courez pas.

- Au golf, vous n'avez droit qu'à un coup; il n'y a pas de deuxième chance.

- Limitez-vous à un ou deux coups d'exercice.

- Suivez toujours la trajectoire de votre balle pour éviter de la perdre de vue. Pour retrouver facilement l'endroit où atterrit votre balle, prenez un point de repère naturel (arbre, buisson, butte).

- Si vous jouez lentement, cédez la place au groupe qui vous suit.

- Replacez toutes les mottes de gazon.

- Nivelez les fosses de sable.

- Laissez votre équipement à l'extérieur du vert.

---

1. Interjection qui signifie: «Attention devant! gare devant!»

- Lorsque tous les joueurs ont terminé, replacez le fanion[1] en prenant soin de ne pas endommager le bord de la coupe.

- Quittez le vert tout de suite après votre coup; inscrivez votre pointage plus tard.

- Ne lancez jamais votre bâton.

- Félicitez toujours un compagnon de jeu qui a réussi un beau coup. Faites preuve d'esprit sportif et amusez-vous.

Le golf est un des rares sports où il n'y a pas d'arbitre. Vous devez vous-même vous donner une pénalité si vous enfreignez une règle. Il est donc essentiel que vous fassiez comprendre à votre enfant l'importance de l'intégrité et de l'honnêteté: deux qualités primordiales au golf.

Les règles du golf reposent sur l'intégrité et la civilité, le tout saupoudré d'une bonne dose de bon sens. Si vous suivez les règles, vous éprouverez encore plus de plaisir à jouer. Comme il serait trop long de reproduire ici toutes les règles du golf, je n'en donnerai que quelques exemples.

- Le joueur dont la balle se trouve le plus loin de la coupe joue en premier.

- Marquez toujours la position de votre balle sur le vert avec une pièce de monnaie ou un objet approprié. Placez la pièce de monnaie derrière la balle, du côté qui se trouve le plus loin de la coupe.

- La méthode correcte pour déplacer votre balle est de la marquer puis d'aligner la tête de son fer droit avec un objet identifiable à partir du marqueur au sol. Enlevez votre marqueur et placez-le à l'autre extrémité de la tête du fer droit. C'est l'unique façon adéquate de le faire, et n'oubliez pas d'utiliser la méthode inverse lorsque c'est à vous de faire votre roulé. Ne déplacez jamais une balle

---

1.   *Flagstick.*

à partir de la balle elle-même, mais toujours à partir du marqueur.

- Si votre balle tombe à l'extérieur des limites du terrain, vous devez frapper une nouvelle balle à partir du même point de départ. Vous perdez un coup et recevez une pénalité de distance. En d'autres mots, vous vous trouvez à plus deux.

La connaissance et l'observance de l'étiquette, des coutumes, des règles et des règlements contribueront à aider votre enfant à jouir de ce sport et de la vie en général.

12 Les tournois

Compétition, compréhension, préparation,
évaluation, possibilités, bienveillance

Vous avez maintenant créé un monstre : une monstre prêt pour la compétition et impatient de montrer son savoir-faire. Chers parents, j'ai une nouvelle à vous annoncer : votre enfant a maintenant moins besoin de vous. Ce dont il a besoin, c'est de se mesurer aux autres, de vivre la compétition avec un grand C. Bien sûr, vous avez consacré plusieurs années à favoriser consciencieusement l'éclosion du talent de votre enfant, mais le temps est venu de mettre le tout à l'épreuve en affrontant d'autres golfeurs.

Votre travail n'est pas remis en cause. Il s'agit tout simplement de laisser l'oisillon déployer ses ailes et quitter le nid. Comment savoir si le moment est propice ? Ce n'est pas vous qui le saurez, mais votre enfant. Et comme tout bon parent, votre rôle consiste à accepter cette étape et à encourager votre enfant.

Ce moment arriva si rapidement dans le cas de Tiger, que je fus presque pris au dépourvu – je dis bien presque. Comme je n'avais pas les moyens de l'inscrire dans un club privé, j'avais prévu des solutions de rechange. Pour un parent de la classe moyenne, la meilleure façon de permettre à son enfant de jouer dans les meilleurs clubs de golf de sa région est de l'inscrire dans une association de golf réservée aux joueurs juniors.

183

Des membres du Heartwell Golf Course Junior Club, attendant le début de leur partie de golf hebdomadaire.

Heureusement pour nous, le sud de la Californie offrait un des meilleurs programmes de golf pour les joueurs juniors: la Southern California Junior Golf Association (SCJGA). Cette association parraine des tournois d'une journée, quatre ou cinq fois par semaine durant les mois d'été, qui se déroulent dans les clubs de golf parmi les meilleurs. Cette possibilité cadrait parfaitement avec mon plan d'ensemble pour Tiger: qu'il puisse progresser et se développer en jouant sur des parcours de grande envergure.

Dès l'âge de quatre ans, mon petit bonhomme joignit les rangs de la SCJGA. Le groupe d'âge le plus jeune étant réservé aux joueurs de 10 ans et moins, Tiger joua donc contre des joueurs beaucoup plus âgés que lui, sans handicap. À peu près au même moment, on lui refusa l'accès au club de golf de la marine américaine parce qu'il était trop jeune, même après que trois professionnels en titre[1] de la Profesâ

---

1. *Head professional.*

Tiger n'eut besoin que de quatre tournois pour gagner son premier neuf trous. Il remporta cette victoire au Yorba Linda Country Club, excité comme jamais. Il avait battu un adversaire de 10 ans plus vieux que lui, qui d'ailleurs avala très difficilement cette défaite. Les victoires devinrent une seconde nature pour Tiger. Il savait intuitivement à quel point il était bon. Ce triomphe fut le premier d'une longue série au sein des deux associations.

Faites le tour de votre région, puis trouvez les associations et les services qui sont à la disposition de votre enfant. Si vous êtes déjà membre d'un club privé, vous y trouverez probablement tout ce dont vous avez besoin. Si vous n'êtes membre d'aucun club, toutefois, il est primordial de vous informer à l'avance des différentes possibilités qui existent. Veillez à avoir déjà en main tous les renseignements et les formulaires d'inscription nécessaires lorsque votre enfant se montrera prêt. À qui vous adresser? Où aller?

Vous ne trouverez pas la réponse à ces questions dans les pages jaunes. Vous devrez faire vous-même les démar-

Tiger effectuant son coup de départ lors du Optimist International Junior World à San Diego, en Californie.

ches qui s'imposent. Parlez à un golfeur professionnel de votre région et recueillez tous les renseignements disponibles sur les associations ou organisations de golf qui s'occupent des jeunes joueurs, demandez les formulaires d'inscription, remplissez-les, préparez votre chèque, puis foncez le moment venu.

Un fier guerrier de la SCJGA accepte son trophée de première place dans la catégorie huit ans et moins au club de golf Knollwood.

Un habitué des médias à cinq ans.

Les organisations de golf varient de ville en ville. Recherchez une association bien structurée, bien financée, responsable et attentionnée, qui propose des compétitions pour le groupe d'âge correspondant à celui de votre enfant. Ne forcez jamais votre enfant à affronter des joueurs plus avancés sur le plan des aptitudes physiques. Tiger était une exception. Les enfants sont fragiles sur le plan psychologique. Aucun jeune n'aime se faire battre sans cesse à plates coutures. Il doit avoir une chance raisonnable de gagner.

Par exemple, si l'association n'a pas de groupe d'âge pour les dix ans et moins, et que votre enfant a six ans, ne l'inscrivez pas dans le groupe des onze ans, car votre enfant pourrait en subir des conséquences néfastes et inutiles tant comme personne que comme golfeur. Faites preuve de bon sens. Suivez votre instinct. De cette façon, vous ferez toujours de votre mieux. Si vous avez un problème, demandez conseil. Il y a peut-être d'autres parents dans votre région qui ont de l'expérience et qui peuvent vous renseigner.

Au Québec, l'Association des Golfeurs Professionnels (AGP) propose un programme golf-études, volet élite, volet excellence. Vous pouvez obtenir des informations pour une inscription aux coordonnées suivantes:

AGP du Québec
435, boulevard Saint-Luc
Saint-Luc (Québec), Canada
J2W 1E7
Tél.: (514) 349-5525

Comme je le mentionnais plus tôt dans ce livre, l'éducation d'un enfant nécessite un effort concerté de la famille. Lorsque Tiger commença à participer à des compétitions à quatre ans, ma femme était également prête. Comme toutes les mères d'enfants qui pratiquent un sport, elle inscrivait Tiger à tous les tournois qui se tenaient l'été et l'y conduisait en voiture. Parfois, à 4 h du matin, j'ouvrais l'œil et j'apercevais mon épouse et Tiger se préparer à partir pour un tournoi de neuf trous qui avait lieu à une heure et demie de route

Les parents peuvent participer de multiples façons.

de notre domicile. Tiger ne se plaignait jamais d'entendre la sonnerie de son réveille-matin. Tel un petit soldat, il se levait, brossait ses dents, se lavait le visage et les mains, s'habillait et se préparait pour la bataille à venir. La dernière chose que j'entendais avant de me rendormir, c'était: «Tiger, n'oublie pas ton oreiller pour dormir dans la voiture.»

Ma femme pensait à tout. Elle était la cuisinière en chef et n'oubliait jamais de laver les bouteilles d'eau. Comme elle était active dans le golf junior! Elle faisait office de pointeuse officielle, de meneuse de claques et de spécialiste dans l'interprétation des règlements pour tous les groupes où se trouvait Tiger. Je dois lui rendre hommage: elle était impartiale dans son rôle de meneuse de claques, mais elle faisait preuve d'un peu plus de sévérité lorsque Tiger faisait une gaffe. «Tiger, qu'est-ce qui te prend?», avait-elle l'habitude de dire sur un ton calme.

Dans le golf junior, les parents n'ont pas le droit de parler à leurs enfants durant les compétitions; pour ma femme, cependant, cette règle s'appliquait surtout aux autres, en particulier lorsqu'il s'agissait de son fils. Toujours juste, elle encourageait d'une façon égale tous les joueurs. Elle n'avait pas une attitude agressive ou dérangeante, et tous les joueurs l'aimaient et la respectaient au plus haut point. Les enfants le sentent lorsque quelqu'un s'intéresse vraiment à eux.

Ma femme s'acquitta admirablement bien de ses devoirs jusqu'à ce que Tiger ait treize ans. J'avais prévu la progression de Tiger. Aussi avais-je déjà demandé une retraite anticipée à mon employeur, McDonnell Douglas, pour aider Tiger à participer à des tournois. Je pris donc la relève de ma femme, mais cette fois pour des tournois nationaux et non locaux. Pour m'assurer que Tiger ne s'inscrive pas dans des tournois d'envergure trop élevée pour lui, je lui permis de

«Tiger, c'est l'heure d'aller jouer au golf.»

Parfois, les tournois ont lieu très tôt le matin, ce qui exige beaucoup de l'enfant et des parents.

190

participer à un seul tournoi national d'importance de son choix. Il choisit le *Big I* (Independant Insurance Agent of America Golf Tournament). La décision de lui faire commencer des compétitions nationales fut facile pour moi, car Tiger avait prouvé sa supériorité par rapport aux joueurs de son âge sur le plan local. En fait, à douze ans, il ne connaissait pas la défaite.

La décision de faire compétitionner votre enfant au niveau national ne sera peut-être pas aussi évidente que dans mon cas. Demandez à un instructeur professionnel de la PGA en qui vous avez confiance d'évaluer votre enfant avant de vous engager plus avant dans la compétition nationale. De toute façon, les compétitions locales prévoient des groupes d'âge jusqu'à 18 ans; vous avez donc amplement le temps. Ce qui importe, c'est de ne pas forcer votre enfant à participer à des compétitions pour lesquelles il n'est pas physiquement et mentalement prêt. Il a beaucoup de temps devant lui.

On peut accéder aux compétitions nationales par l'entremise de plusieurs associations. Il y a d'abord l'American Junior Golf Association (AJGA), dont les groupes d'âge incluent les 13 à 14 ans et les 15 à 18 ans.

Tiger en compagnie de Jack Nicklaus, à l'occasion d'un cours pratique de golf au Belaire Country Club, à Los Angeles.

L'auteur en train de faire une pause, lors d'une journée de tournoi mouvementée.

Cette association accepte les joueurs juniors jusqu'à l'âge de dix-neuf ans afin de donner la chance à ses membres de jouer jusqu'à leur entrée à l'université. L'AJGA a pour objectif d'offrir à ses membres des compétitions nationales et des contacts avec des entraîneurs de golf dans la plupart des universités et des collèges américains. Mais il va sans dire que des associations et des tournois d'importance existent dans votre région il n'en tient qu'à vous de vous informer.

Les camps, les clubs-école et les cours pratiques de golf sont d'autres moyens qui permettent à votre enfant de raffiner son jeu et de se préparer à la compétition. Certains offrent des bourses pour aider les parents à défrayer les dépenses. Le magazine *Golf Digest* publie chaque année une liste complète des camps, des clubs-école et des cours pratiques offerts aux joueurs juniors dans chaque région des États-Unis. On peut se procurer la liste en composant le 800-PAR-GOLF.

Il existe une kyrielle d'associations de golf junior un peu partout aux États-Unis. Il en existe même une qui s'adresse plus particulièrement aux joueurs issus des minorités et des classes défavorisées, appelée Ladies Golf Professional Tour's junior golf program. Mis sur pied à Los Angeles, ce programme est maintenant offert dans les villes de Portland, Detroit et Wilmington. Pour obtenir plus d'informations au sujet de ce programme ou de celui des associations Girls Golf Glub et Juniors Clinics, on peut composer le 904-254-8800.

Les programmes de golf junior sont de plus en plus nombreux. Il en existe sûrement un dans votre région. Vous devez toutefois être vigilant et faire les vérifications qui s'imposent avant d'y inscrire votre enfant.

Pour devenir membre de l'AJGA, rien de plus simple: contactez son siège social au 770-998-4653, demandez un formulaire d'inscription et remplissez-le. La cotisation annuelle s'élève à 70$US. On exige également des frais d'inscription de 95$US pour chaque tournoi. Pour participer aux tournois de l'AJGA, il faut d'abord passer par un processus de sélection. Pour ceux qui ne réussissent pas ce processus de sélection, on prévoit des tournois de qualification qui durent une journée afin de donner la chance à ces joueurs d'être acceptés. L'AJGA prévoit actuellement organiser des tournois régionaux de deux jours qui s'ajouteraient à ses tournois réguliers. On divisera les États-Unis en cinq régions, ce qui permettra à plus de joueurs de participer sans avoir à défrayer d'importants frais de déplacement. On peut obtenir de l'information en écrivant à l'adresse suivante: AJGA, 2415, Steeplechase Lane, Roswell, Georgia 30076, USA.

Grâce aux tournois de l'AJGA, Tiger put poursuivre sa progression et remporter de nombreuses victoires. Il fit partie de la première équipe étoile pendant quatre années consécutives et remporta deux fois le titre de Joueur de l'année Rolex de l'AJGA. Ses succès nationaux attirèrent l'attention des entraîneurs des universités et permirent à Tiger de recevoir une bourse d'études de l'université Stanford.

Le champion national 1993 de la U.S. Golf Association exhibe fièrement son trophée.

Je compris lors de son dernier tournoi de l'AJGA à Castle Rock, au Colorado, que Tiger était prêt à passer au niveau amateur. Sa carte de pointage fut affreuse, son attitude, indifférente, son approche, négligée. Et pour la première fois, il jouait de façon machinale et distraite. Son instinct de compétiteur semblait disparu. Je sus alors que l'AJGA ne lui offrait plus de défis. Le moment était venu de passer à autre chose.

Partie 4

Couper le cordon

 **13** ## *Savoir demander de l'aide*

*Conseil, objectivité, connaissances,
compréhension, aide, persévérance*

J'ai déjà souligné que je ne suis pas un instructeur professionnel de la PGA. Ce livre n'est ni une formule infaillible ni une méthode détaillée pour apprendre l'élan de golf. Il existe des personnes beaucoup mieux qualifiées que moi pour enseigner ces choses. Mais le fait que vous et moi ne sommes pas des professionnels ne signifie aucunement que nous ne sommes pas qualifiés pour être le premier entraîneur de notre futur champion.

Évaluez-vous pour déterminer si vos seules connaissances suffisent et pour décider du moment où il vous faudra faire appel à un instructeur professionnel. Faites cette autoévaluation de façon honnête et objective. Le recours à un professionnel n'est pas synonyme d'échec; au contraire, cela montre que vous savez ce qu'il faut faire pour réussir au golf. L'étape suivante consiste à vous assurer que vous avez fait tout ce que vous pouviez pour mener votre enfant le plus loin possible. Est-ce le début de la fin pour vous?

Non, il s'agit tout simplement d'une nouvelle étape dans le développement de votre enfant, une étape qui devrait donner lieu à une merveilleuse expérience d'apprentissage tant pour lui que pour vous.

Voilà pourquoi il est si important de choisir un professionnel compatible à la fois avec la personnalité de votre enfant et la vôtre, ainsi qu'avec votre méthode d'enseignement. Cherchez. Posez des questions. Parlez à d'autres parents et à d'autres golfeurs. Contactez la section locale de la PGA pour obtenir des références. Cherchez à obtenir le nom de plusieurs professionnels plutôt qu'un seul. Ensuite, entretenez-vous avec eux. Après tout, c'est à l'un d'eux que vous confierez votre bien le plus précieux: votre enfant.

À l'âge de quatre ans, Tiger était si doué que je décidai de faire appel à un professionnel pour accélérer son développement. Je le confiai donc à Rudy Duran, le professionnel en titre du club de golf Heartwell. Ancien joueur du circuit de la PGA, cet homme affable avait la réputation d'être un excellent instructeur qui s'intéressait beaucoup au golf de niveau junior. Lorsque je choisis le mentor de Tiger, une des décisions importantes que je pris fut celle de rester en arrière-plan pour les laisser développer une bonne relation de travail. Le soutien est beaucoup plus efficace que l'ingérence.

Rudy aida Tiger à améliorer les aspects techniques de son élan et renforça ce que j'avais déjà enseigné à mon fils. Leur relation reposait sur le respect et l'admiration mutuels. Six ans plus tard, Rudy décrocha un nouveau poste au Chalk Mountain Golf Club situé à Atescadero. Même si je participais très activement à la formation de Tiger, le départ de Rudy laissa un grand vide.

Tout au long de ces années avec Rudy, j'avais rencontré et connu plusieurs instructeurs professionnels de la PGA dans des clubs de golf parmi les plus réputés du sud de la Californie. Si j'eus l'occasion de connaître ces instructeurs, c'est parce qu'ils accueillaient dans leurs clubs respectifs des tournois de la CJGA auxquels Tiger participait. J'entrai donc en relation avec tous ceux que je connaissais pour leur expliquer la situation. Ils étaient tous au courant des exploits de Tiger, et un nom revenait sans cesse: John Anselmo, instructeur professionnel en titre au club de golf Meadowlark, à Huntington Beach, en Californie.

Un de mes amis chez les professionnels, Ray Oakes, manifestait un tel enthousiasme à la possibilité que John Anselmo devienne le prochain entraîneur de Tiger, qu'il offrit ses services comme intermédiaire et contacta lui-même John pour discuter de la proposition. Il arrangea par la suite une rencontre entre John et moi. Comme j'avais déjà le plus grand respect pour John et ses méthodes pédagogiques, ce ne fut pas difficile pour moi d'accepter en principe qu'il devienne le prochain instructeur professionnel de Tiger.

Les parents ne doivent jamais oublier qu'un instructeur professionnel ne travaille pas pour eux, mais pour leur en-

Le trophée du championnat amateur de la USGA.

Tiger reçoit les clés de la ville de Cypress, en Californie, lors d'une réception soulignant sa victoire au Championnat amateur des États-Unis en 1994.

Posant devant le «mur des célébrités», Tiger montre son trophée du Championnat amateur des États-Unis à son instructeur de golf de l'école secondaire, Don Crosby.

fant. Toujours est-il que l'étape suivante consistait à obtenir l'assentiment de Tiger. Comme il connaissait déjà très bien John, il accepta tout de suite d'être son élève. Entre eux se noua un lien merveilleux, et John lui enseigna de l'âge de dix ans jusqu'à l'âge de dix-huit ans. Aujourd'hui, Tiger travaille avec le super instructeur de Houston: Butch Harmon. Plusieurs golfeurs du circuit professionnel ont bénéficié de son expertise, dont Greg Norman. Il y eut immédiatement une excellente chimie entre Butch et Tiger, qui se manifesta d'ailleurs à l'occasion d'un tournoi où Tiger réalisa un de ses plus beaux coups.

La scène se déroulait lors du 100e anniversaire du Championnat amateur des États-Unis. Le tournoi se tenait au Newport Country Club, à Newport, à Rhode Island. Champion en titre, Tiger avait dû se battre pour accéder à la partie finale. Comme c'était notre habitude, Tiger et moi avions évalué son jeu pour finalement conclure qu'une de ses faiblesses résidait peut-être dans sa capacité de contrôler la distance avec ses fers moyens. Butch et Tiger avaient travaillé ensemble pour corriger ce problème, qui commençait d'ailleurs à s'atténuer, mais Tiger avait encore du mal à faire confiance à un changement suggéré par Butch plus tôt dans la semaine.

Le moment de vérité arriva pendant la tournée de championnat. Tiger, qui, après 36 trous, s'accrochait à son avance d'un coup sur son adversaire, devait effectuer un coup d'approche de 140 verges en direction du vert qui présentait une dénivellation montante. Grâce à sa confiance en Butch et en ses propres capacités, il exécuta un coup parfait au moment le plus crucial de la bataille. Avec son fer n° 8, il propulsa la balle qui atterrit à environ 5 mètres derrière le trou, puis roula pour finalement s'arrêter à quelques centimètres de la coupe. Il remporta la victoire grâce à un coup que Butch venait tout juste de lui enseigner et qu'il utilisait pour la première fois en compétition.

Butch et Tiger, instructeur et élève, célébrèrent l'événement ensemble. Ils n'étaient cependant pas les seuls. Cette

Les vrais champions réussissent leurs exploits dans les moments cruciaux où la pression est intense.

victoire de Tiger provoqua sûrement un sourire de fierté chez ses anciens instructeurs, qui avaient tous contribué à leur façon à ce grand moment qui consacrait la venue d'un nouveau champion.

14 Saisir la chance qui se présente

Diversité, réseau, contacts, amitiés, loyauté

Le golf est un microcosme de la vie. Avouons-le, il donne la chance de s'enrichir tant sur le plan personnel que sur le plan socioéconomique. Connaissez-vous un autre sport où se côtoient les plombiers, les médecins et les dirigeants de grandes entreprises? Aucun autre sport de compétition ne permet à un groupe si disparate de se réunir et de nouer des liens. Le plombier répare votre chauffe-eau. Le médecin accouche votre deuxième enfant. Le dirigeant d'entreprise vous donne un emploi. Extraordinaire! Cette chance est offerte non seulement à Tiger, mais également à votre enfant.

À l'école secondaire, à l'occasion de ses parties de golf, Tiger rencontra un jeune homme qui fait présentement son année préparatoire de médecine à l'université de San Diego.Cet homme risque d'être un jour le médecin de Tiger. Un autre étudie actuellement pour devenir avocat. Il y a de fortes chances que Tiger fasse appel à ce jeune homme lorsqu'il aura besoin de quelqu'un pour s'occuper de ses affaires sur le plan juridique.

Votre enfant peut profiter des mêmes avantages en jouant au golf, car le golf, voyez-vous, est un sport pour tout le monde. Il ne connaît aucune frontière sociale ou économique. En outre, les joueurs talentueux et moins talentueux peuvent s'affronter en compétition, grâce au système des

Le golf réunit des gens exerçant toutes sortes de métiers et de professions.

handicaps qui a été mis au point par la USGA et qui permet de donner une chance égale à tous. Des amitiés naissent, se développent et se cimentent. Votre enfant amorce un merveilleux voyage qui n'a ni commencement ni fin, mais où le plaisir est toujours au rendez-vous.

S'il importe d'avoir des contacts, il importe tout autant de les maintenir. Encouragez votre enfant à échanger numéros de téléphone et adresses. La possibilité de créer un réseau lorsque vous accompagnez votre enfant à ses tournois est infinie. Notez les contacts que vous établissez. Ils pourront s'avérer très précieux dans l'avenir. Parmi les gens généreux qui nous ont hébergés quand Tiger jouait chez les juniors et les amateurs, certains sont devenus de bons amis. Encore aujourd'hui, quand je me déplace pour affaires ou pour assister à un tournoi, ils déroulent le tapis rouge pour nous recevoir. Plusieurs ont suivi la progression de Tiger et nous téléphonent régulièrement pour avoir de ses nouvelles. Ils font maintenant partie de la famille.

Si votre enfant manifeste la détermination nécessaire pour réussir dans le golf de compétition, les années qu'il passera chez les juniors lui apporteront une expérience et des contacts qui pourront l'aider à obtenir des bourses d'études. Quel parent ne souhaite pas obtenir une aide financière pour défrayer les coûts toujours plus élevés des études universitaires? Oui, le golf peut permettre à votre enfant d'accéder à l'université ou augmenter ses chances d'y aller.

Une des meilleures sources d'information au sujet du golf universitaire est l'*American College Golf Guide*. Ce livre en format de poche, publié chaque année par le Karsten Manufacturing Corporation, traite du golf de niveau junior, mais il propose également une liste alphabétique, par État, des institutions d'enseignement supérieur qui offrent un programme de golf (de deux ou quatre ans). On y trouve aussi les noms, adresses et numéros de téléphone de leurs entraîneurs, en plus d'indiquer s'ils tiennent ou non des camps, ou des clubs-école pour les juniors.

De plus, ce guide propose des exemples de lettres et de curriculum vitae, ainsi qu'une évaluation comparative des collèges destinée aux parents. Ce livre nous fut d'une grande utilité lorsque nous dûmes évaluer les offres de bourses d'études qu'avait reçues Tiger pendant sa dernière année à l'école secondaire. Tout aussi importants furent les contacts que nous avions établis dans les villes situées loin de chez nous. Pour obtenir de plus amples informations au sujet de ce guide, écrivez à: Dean Frischknecht Publishing, P.O., Box 1179, Hillsboro, Oregon 97123; le numéro de téléphone est le 503-648-1333.

Comme je le mentionnais un peu plus tôt, le premier tournoi national d'importance auquel Tiger participa fut le *Big I* qui se tient à Texarkana, en Arkansas. Ce tournoi propose une formule unique: après le dix-huitième trou, on invite des joueurs du circuit de la PGA à former un quatuor[1] avec trois participants, leur donnant ainsi la chance de jouer une partie en compagnie d'un professionnel. Lorsque Tiger participa au *Big I* à l'âge de treize ans, il joua en compagnie

---

1.　*Foursome:* partie de double à deux contre deux.

de John Daly, encore inconnu à l'époque. Je me rappelle clairement à quel point Tiger fut impressionné par la longueur des coups de monsieur Daly.

Je mis cela sur le compte de l'imagination débordante d'un adolescent. J'étais dans l'erreur. Tiger me raconta comment John avait frappé un coup avec son fer n° 2 qui avait filé tout droit pendant 200 verges pour finalement bifurquer brusquement vers la gauche. John Daly appelait ce coup son «knot shot» parce qu'il réussissait à frapper la balle si fortement qu'une fente se formait à sa surface. C'est cette fente qui faisait tourner la balle de façon abrupte. Monsieur Daly devait d'ailleurs changer de balle par la suite, car elle était trop abîmée. Mais quel coup! Ce jour-là, les professionnels effectuaient leur coup de départ sur le même tertre que les participants au tournoi et, avec encore quatre trous à jouer, Tiger détenait une avance de deux coups.

Je me rappelle très bien John qui disait à tous ceux disposés à l'entendre: «Je ne permettrai pas qu'un joueur de treize ans me batte.» Et il ne le permit pas. Il réussit des oiselets dans trois des quatre derniers trous et battit Tiger par un coup. Aujourd'hui, Tiger et John sont de très bons amis. Et je les ai vus rire, blaguer et raconter à d'autres ce qui s'était passé à Texarkana lors de cette journée chaude et humide.

15 Soyez attentif aux autres et partagez vos expériences

Joie, bonheur, partage, image,
accomplissement, amour

On ne répétera jamais assez l'importance de jouir au maximum de la vie. Le golf est un sport qui s'apparente à la vie. Il permet d'apprendre, d'expérimenter, de partager. Les leçons qu'on peut tirer d'une partie de golf sont si précieuses qu'on ne doit pas les garder pour soi. La vie ne concerne pas notre seule personne exclusivement. Il faut tenir compte des autres également. On se doit de partager nos expériences de vie. Soyez attentif aux autres. Partagez vos expériences et participez au cheminement personnel des autres.

Le temps n'est qu'une accumulation de moments présents. Demain n'existe pas encore; hier n'existe plus. Seul le présent compte. Il incombe à chacun de vivre sa vie un jour à la fois. Tirez profit au maximum de la joie que vous avez reçue en héritage à la naissance. Mettez en pratique les leçons et les connaissances que vous avez pu glaner en pratiquant ce sport merveilleux qu'est le golf. Il y a tant à apprendre de ce sport, non seulement sur soi, mais sur les autres.

Dans l'éducation de Tiger, un thème est demeuré constant: le golf est un jeu, amuse-toi. Je n'ai jamais essayé d'imposer ce que j'aimais ou que je n'aimais pas, mes désirs et mes attitudes dans le développement de mon fils. Par conséquent, lorsqu'il joue au golf, l'essence même de sa participation réside dans le plaisir du jeu. En compétition, il n'oublie jamais ce que je lui ai enseigné: le golf est un jeu, donne le meilleur de toi-même et amuse-toi.

Je ne cherche pas à imposer aux autres mes croyances personnelles et ma philosophie de vie. Je vous les offre simplement pour que vous puissiez les examiner, les évaluer et, peut-être, les utiliser. En ce qui concerne l'éducation des enfants, par contre, je crois utile de partager mes intuitions et mon expérience.

Le golf avance par sauts et par bonds et prend un essor prodigieux partout dans le monde. L'intérêt pour ce sport augmente à une allure vertigineuse. Il n'est plus l'apanage des riches et des privilégiés. Les gens moins fortunés envahissent de plus en plus les allées de golf.

SURPRISE! La mère de Tiger, Tida, lui présente les invités venus à une fête-surprise organisée après son premier Championnat amateur des États-Unis.

Le golf est un sport pour tous. Profitez-en!

Conscient de la popularité grandissante du golf, des occasions tout à fait uniques que ce sport lui a offert et de l'importance d'aider les autres, Tiger envisage de mettre sur pied une fondation où il versera une partie de ses gains pour aider les plus démunis. Pour commencer, cette fondation s'attaquera au problème de l'image de soi chez nos jeunes au moyen des techniques de psychologie sportive. Si Tiger parvient à instiller chez des athlètes en devenir la fierté et le désir d'accomplir ce que lui-même a reçu de sa famille et de ses expériences de golf, il aura apporté à la société une contribution significative qui transcende les tournois et la gloire. Car pour véritablement savourer la victoire, on ne peut se satisfaire de sa seule performance; il faut également tendre la main aux autres pour leur donner une chance à eux aussi. Ce que ma femme et moi avons essayé de faire avec notre fils, Tiger espère maintenant le faire auprès de tous ces jeunes qui luttent pour poursuivre leurs rêves. Où tout cela le mènera-t-il? Nul ne le sait. C'est une nouvelle histoire qui commence.

Au sujet des auteurs

Earl Woods fut le premier joueur de baseball de race noire à jouer dans la Big Eight Conference. Selon le vœu de sa mère, il rangea son gant de baseball pour entreprendre une carrière dans le monde de l'éducation. Après avoir servi à deux reprises au Viêt-nam avec les bérets verts, il resta dans l'armée américaine où il obtint le grade de colonel et enseigna jusqu'à sa retraite en 1974. Earl a mis à profit son expérience tout à fait unique pour devenir le professeur, l'entraîneur et le mentor de son fils; le succès de Tiger, tant sur le plan sportif que scolaire, constitue pour lui le point culminant de sa carrière.

Pete McDaniel est journaliste au magazine *Golf World*. Récipiendaire de nombreux prix, il est le seul journaliste d'origine afro-américaine spécialisé en golf à travailler pour une importante publication aux États-Unis. Avant de se joindre à *Golf World* en 1993, il a couvert le sport pendant 13 ans à titre de journaliste et de rédacteur en chef pour le compte du New York Times Regional Newspaper Group.

Lexique sommaire du golf
(des termes utilisés au cours du livre)

address the ball: viser la balle.

backswing: prise d'élan ou montée.

bag: sac de golf.

balance: équilibre.

baseball grip: prise baseball.

birdie: oiselet, trou joué en un coup sous la normale.

bogey ou *bogy:* boguey, la normale du parcours.

breaking putt: trajectoire irrégulière.

bunker: fosse de sable.

caddie: caddie, on emploie aussi le terme cadet en France.

cart: voiturette.

chipping: coup d'approche roulé.

club: bâton de golf.

club-head ou *club head:* tête du bâton.

cup: coupe.

cross-handed grip: prise mains croisées.

descending blow: élan descendant.

divot: motte de gazon.

double bogey: un boguey double.

downhill: dénivellation descendante.

downswing: descente du bâton.

draw: crochet de gauche.

drive: coup de départ, on l'appelle aussi drive.

driver: bois n° 1, club de départ en bois au golf, si dit aussi driver.

driving contest: coup de longue distance donné au départ d'un trou.

driving range: terrain d'exercice aux coups de départ; en France on utilise *driving range* tandis qu'au Québec, on emploie davantage champ de pratique et parfois aussi allée d'entraînement.

face: face du bâton.

fairway: allée, se dit aussi de la partie du parcours gazonnée, bien entretenue et sans accident de terrain (où doivent tomber toutes les balles bien jouées), en fait, le parcours normal.

firm soil: sol ferme.

flagstick: fanion.

flight pattern: ligne d'envol de la balle.

follow-through: prolongement de l'élan, se dit aussi fin du coup.

fore!: interjection qui signifie: «Attention devant! gare devant!»

forward stroke: transition lente vers la descente.

foursome: quatuor, partie de double à deux contre deux.

full golf swing: élan complet.

gap drill: exercice du té.

golf course: parcours de golf, on dit aussi terrain de golf

green ou *putting green:* vert.

grip: poignée; on dit souvent aussi quand il est question du jeu lui-même, la prise.

head professional: professionnel en titre.

heel-and-tœ weighted: poids réparti dans la pointe et le talon.

hole: coupe.

interlock grip: prise entrecroisée.

iron: fer ou bâton en fer.

lag putting: roulé défensif.

lie: position de la balle.

loft: angle de la face d'un bâton de golf. Le verbe *loft* signifie donner de la hauteur à la balle.

long iron ou *long-iron:* fer long.

make putt: roulé agressif.

match play: partie par trous.

medium iron: fer moyen.

nineteenth hole: bar du club de golf, appelé plus communément le 19e *trou.*

open: position ouverte.

overlap grip ou *Vardon grip:* prise chevauchée Vardon.

216

par: normale, on dit aussi par en français.

par-3: parcours dont tous les trous ont une normale de 3.

pitching: coup d'approche lobé.

pitching area: aire de pratique réservée aux coups d'approche.

pitching wedge: cocheur d'allée.

practice green: vert d'exercice.

pro shop: boutique de golf.

putt ou *putting:* coup roulé, l'Office de la langue française suggère le néologisme «roulé».

putter: fer droit, on dit aussi poteur ou potteur.

ready position: position initiale appelée aussi position de départ.

round: partie ou tournée de golf.

sand trap: fosse de sable.

sand wedge: cocheur de sable.

score card ou *golf score:* carte de pointage ou la marque du joueur.

scratch player: zéro d'handicap.

setup ou *set-up:* prise initiale.

short iron: fer court.

sidehill: sur le côté.

slope: dénivellation du vert.

soft soil: sol mou.

speed: vitesse.

starter: starter, personne chargée de donner le signal de départ aux golfeurs.

swing ou *swinging club:* élan.

swing greater length: arc du mouvement.

takeaway ou *take-away:* amorce du mouvement, début de la montée, quand la tête du bâton s'éloigne de la balle.

target line: ligne d'alignement.

tee off: tertre de départ ou point de départ.

tempo: rythme ou tempo.

uphill: dénivellation montante, en pente montante ou en amont.

weight distribution: répartition du poids.

wet: détrempé.

wiffle-type golf ball: balle d'exercice.

wood: bois.

CHEZ LE MÊME ÉDITEUR

Dans la même collection:

1001 maximes de motivation, Sang H. Kim

Accomplissez des miracles, Napoleon Hill

Attitude d'un gagnant, Denis Waitley

Attitude fait toute la différence (L'), Dutch Boling

Comment se faire des amis facilement, C.H. Teear

Comment se fixer des buts et les atteindre, Jack E. Addington

De la part d'un ami, Anthony Robbins

Développez habilement vos relations humaines, Leslie T. Giblin

Développez votre confiance et votre puissance avec les gens,
    Leslie T. Giblin

Développez votre leadership, John C. Maxwell

Devenez la personne que vous rêvez d'être, Robert H. Schuller

Dites oui à votre potentiel, Skip Ross

En route vers le succès, Rosaire Desrosby

Enthousiasme fait la différence (L'), Norman V. Peale

Fonceur, (Le), Peter B. Kyne

Fortune en dormant (La), Ben Sweetland

Homme est le reflet de ses pensées (L'), James Allen

Homme le plus riche de Babylone (L'), George S. Clason

Magie de croire (La), Claude M. Bristol

Magie de penser succès (La), David J. Schwartz

Magie de s'autodiriger (La), David J. Schwartz

Magie de voir grand (La), David J. Schwartz

Mémorandum de Dieu (Le), Og Mandino
Osez Gagner, Jack Canfield et Mark Victor Hansen
Pensée positive (La), Norman V. Peale
Pensez en gagnant! Walter Doyle Staples
Pensez possibilités! Robert H. Schuller
Performance maximum, Zig Ziglar
Personnalité plus, Florence Littauer
Plus grand miracle du monde (Le), Og Mandino
Plus grand secret du monde (Le), Og Mandino
Plus grand succès du monde (Le), Og Mandino
Plus grand vendeur du monde (Le) partie 2, suite et fin, Og Mandino
Pouvoir de la pensée positive, Eric Fellman
Puissance d'une vision (La), Kevin W. McCarthy
Progresser à pas de géant, Anthony Robbins
Provoquez le leadership, John C. Maxwell
Quant on veut, on peut! Norman V. Peale
Relations humaines, secret de la réussite (Les), Elmer Wheeler
Rendez-vous au sommet, Zig Ziglar
Retour du chiffonnier (Le), Og Mandino
S'aimer soi-même, Robert H. Schuller
Secrets de la confiance en soi (Les), Robert Anthony
Secrets d'une vie magique, Pat Williams
Sports versus Affaires, Don Shula et Ken Blanchard
Succès d'après la méthode de Glenn Bland (Le), Glenn Bland
Tout est possible, Robert H. Schuller
Université du succès (L'), tomes I, II, III, Og Mandino
Vie est magnifique (La), Charlie T. Jones
Votre droit absolu à la richesse, Joseph Murphy
Votre force intérieure T.N.T., Claude M. Bristol et Harold Sherman
Vous êtes unique, ne devenez pas une copie! John L. Mason

Collection

ROMANS D'INSPIRATION

CHEZ LE MÊME ÉDITEUR

Dans la même collection:

Le plus grand miracle du monde, Og Mandino
Le retour du chiffonnier, Og Mandino
L'ange de l'espoir, Og Mandino
Le Maître, Celui qui avait la puissance de la parole, Og Mandino
Le cadeau le plus merveilleux au monde, Og Mandino
Le plus grand vendeur du monde, Og Mandino
Le fonceur, Peter B. Kyne
L'homme le plus riche de Babylone, George S. Clason
Des hectares de diamants, Russel H. Conwell
Objectif: Réussier sa vie et dans la vie!, Richard Durand

COLLECTION VOS RICHESSES INTÉRIEURES

CHEZ LE MÊME ÉDITEUR

Dans la même collection:

La Télépsychique, Joseph Murphy
Le Mémorandum de Dieu, Og Mandino
Les Lois dynamiques de la prospérité, Catherine Ponder
Le Pouvoir triomphant de l'amour, Catherine Ponder
Eurêka!, Colin Turner
La Roue de la sagesse, Angelika Clubb
Le Secret d'une prospérité illimitée, Catherine Ponder
Ouvrez votre esprit pour recevoir, Catherine Ponder

COLLECTION RÉUSSITE
Personnelle

CHEZ LE MÊME ÉDITEUR

Dans la même collection:

Aidez les gens à devenir meilleurs, Alan Loy McGinnis

À la conquête du succès, Samuel A. Cypert

L'attitude fait tout la différence, Dutch Boling

Le capitalisme avec compassion, Rich DeVos

Les échelons de la réussite, Ralph Ransom

Lettres d'un homme d'affaires à son fils, G. Kingsley Ward

Lettres d'un homme d'affaires à sa fille, G. Kingsley Ward

Maîtrisez vos comportements sans les faire subir aux autres,
    Robert A. Schuller

Osez rêver!, Florence Littauer

Personnalité Plus, Florence Littauer

Plan d'action pour votre vie, Mamie McCullough

S.O.S. à l'amour, Willard F. Harley, Jr.

Elle et Lui, Willard F. Harley, Jr.

Le succès de A à Z (tomes A-H et I-Z), André Bienvenue

Une attitude gagnante, John C. Maxwell

Vaincre les obstacles de la vie, Gerry Robert

COLLECTION RÉUSSITE
PROFESSIONNELLE

CHEZ LE MÊME ÉDITEUR

Dans la même collection:

Les paradigmes, Joel Arthur Barker

Communiquer: Un art qui s'apprend, Lise Langevin Hogue

Le pouvoir de vendre, José Silva et Ed Bernd Jr.

La vente: Une excellente façon de s'enrichir, Joe Gandolfo

La vente: Étape par étape, Frank Bettger

Performance maximum, Zig Ziglar

Mes valeurs, mon temps, ma vie!, Hyrum W. Smith

Vivre au cœur de la tornade, Diane Desaulniers et Esther Matte

COLLECTION

FAÇONS

CHEZ LE MÊME ÉDITEUR

Dans la même collection:

52 façons de développer son estime personnelle et sa confiance en soi,
Catherine E. Rollins

52 façons de faire des économies, Kenny Luck

52 façons simples d'encourager les autres, Catherine E. Rollins

52 façons de dire «Je t'aime» à votre enfant, Jan Lynette Dargatz

52 façons simples de s'amuser avec votre enfant, Carl Dreizler

52 façons simples d'aider votre enfant à s'aimer et à avoir confiance en lui,
Jan Lynette Dargatz

52 façons d'organiser votre vie personnelle et familiale, Kate Redd

52 rendez-vous amoureux, Dave et Claudia Arp

52 activités pour occuper vos enfants sans la télévision, Phil Phillips

52 étapes pour atteindre le succès, Napoleon Hill

52 façons de perdre du poids, Carl Dreizler et Mary E. Ehemann

52 façons d'améliorer votre vie, Todd Temple

52 façons de réduire le stress dans votre vie, Connie Neal

52 façons de rendre vos vacances en famille encore plus agréables, Kate Redd

52 façons d'aider votre enfant à mieux réussir à l'école,
Jan Lynette Dargatz

52 façons d'élever des enfants sans se surmener, Mary Manz Simon

Les éditions Un monde différent ltée
3925, Grande-Allée
Saint-Hubert (Québec), Canada
J4T 2V8